KB197928

독서인간의 서재

독서인간의 서재

지은이 | 이봉호
펴낸이 | 강동호
펴낸곳 | 도서출판 울력
1판 1쇄 | 2019년 11월 20일
등록번호 | 제25100-2002-000004호(2002. 12. 03)
주소 | 08234 서울시 구로구 경인로35길 129, 401호(고척동)
전화 | (02) 2614-4054
FAX | (0502) 500-4055
E-mail | ulyuck@hanmail.net
정가 | 15,000원

ISBN | 979-11-85136-51-6 03020

이 도서의 국립중앙도서관 출판예정도서목록(CIP)은 서지정보유통지원시스템 홈페이지(http://seoji.nl.go.kr)와 국가자료종합목록 구축시스템 (http://kolis-net.nl.go.kr)에서 이용하실 수 있습니다.
(CIP제어번호 : CIP2019043767)

관습과 금기의 벽을 넘기 위한 40개의 시선

독서인간의 서재

상수동 독서중독자의 서재에서 발견한 책

이봉호 지음

울력

차례

제2장: 내려놓는 삶에 관하여

제3장: 우리는 모두 하나의 구름이었다

제4장: 다시 일상으로 돌아가는 길

작가의 말

맞벌이 부부로 일하는 마흔 언저리의 후배가 이런 질문을 하더라. 초등학교에 다니는 아이가 책을 전혀 읽으려 하지 않는다는 내용이었다. 책을 가까이 하는 방법을 묻는 질문이었다. 섣불리 답변을 하기가 쉽지 않았다. 할 수 없이 질문에 대한 질문을 먼저 해보았다. 집에 어른용 책장이 따로 있는지, 저녁이나 주말에 본인이 독서를 하고 있는지, 그렇다면 어느 정도 시간을 투입하는지에 대한 역질문이었다.

후배는 대답을 흐렸다. 어른용 책장도 없으며, 독서도 하지 않는 눈치였다. 나는 조심스레 말을 이어갔다. 아이한테 독서를 권유할 것이 아니라 스스로 독서에 빠져 보라고. 그러면 자연스럽게 아이도 책을 가까이 할 것이라고 조언을 해 줬다. 초등학교 시절이 떠오른다. 서울 상도동 고모 집에 가면 천장까지 이어진 서재방이 있었다. 당시 내가 가장 좋아하던 공간은 바로 고모네 서재였다.

돌이켜보면 독서는 적잖이 외로운 행위다. 누구도 자신의 독서를 대신 해 줄 수 없다. 그 외로운 시간을 참고 견뎌야만 독서가 일상으로 자리 잡는다. 꿈에 그리던 서재가 생기고 책을 모으기 시작했다. 삶이 번잡해질 때마다 책장을 응시하는 습관이 생겼다. 어쩌면 책은 내게 치유의 기회를 선사해 주는 고맙고 소중한 인연이라는 생각이 들었다. 시력과 체력이 예전 같지 않지만 독서를 향한 갈망은 여전하다.

30년이라는 세월 동안 이어진 인문 독서의 흔적을 남기고 싶었다. 좋아하거나, 거리를 두고 싶은 작가의 저서를 서평이라는 형식을 빌어 정리해 보았다. 우선 50권이 넘는 책을 추리고, 다시 40권으로 축약하는 과정을 거쳤다. 글을 쓰는 과정에서 새로운 책이 계속 튀어 나왔지만 처음 정한 목록을 바꾸지 않았다. 설레는 마음으로 도서 목록을 준비할 때의 감각을 유지하고 싶다는 바람에서였다.

이번 출판물은 개인적으로 10번째 도서에 해당한다. 8권은 정식 출간의 형식을 취했고, 2권은 10년 전에 전자책으로만 출간한 바 있다. 10번째 신간 도서에 의의를 둔다면 『음악을 읽다』에 이은 두 번째 서평집이라는 데 있다. 어려운 글을 멀리하는 미디어 전성시대에 인문 독서의 가치와 의미를 재고하자는 의도가 있음을 미리 밝힌다. 퇴고를 하면서 선정한 책에 대한 애정이 식지 않았음을 확인하는 시간이었다.

글을 준비하면서 서평집을 출간했던 기성작가를 떠올려 보았다. 김현, 장정일, 이현우, 윤성근이 먼저 생각난다. 김현의 문장은 세월이 흘렀음에도 단아한 맛이 여전하고, 장정일의 논조는 시간이 흐를수록 인문학적 깊이를 더해 준다. 이현우는 다독가다운 내공이 빛을 발하고, 윤성근은 다듬어지지 않았지만 책에 관한 애정이 묻어 나온다. 그들이 없었다면 이 서평집은 완성할 수 없었을 것이다.

관심 분야는 인문학과 사회과학이지만 그간 쉽게 읽히는 원고를 쓰는 데 주력했다. 출판 시장의 현실을 알기에 가급적이면 부담 없이 페이지를 넘길 수 있는 책을 집필하고자 했다. 하지만 이번 책은 상대적으로 독서 시간이 길게 이어지리라 예상한다. 퇴고 과정에서 40개 결론부의 문단을 일일이 추가하면서까지 공을 들였다. 책과 저자에 관한 관심을 강화하고자 하는 생각에서였다.

부족한 글에 관심을 보여 준 울력 출판사 강동호 대표님께 고마운 마음을 전한다. 그와의 첫 만남은 2019년 4월 홍대에서였다. 그와 대화를 나누면서 진솔한 자세로 인문서 출판에 공을 기울이는 장인의 모습을 발견했다. 존경과 감사의 마음이 함께 어우러진 소중한 오후 시간이었다. 인문 정신은 자본주의사회에서 벌어지는 인간소외를 치유해 주는 가치 있는 사상이자 희망이다. 여기에 책이라는 실체가 더해져 혼탁한 세상을 헤쳐 나갈 수 있는 용기와 지혜를 건네줄 것이다. 일독을 권한다.

2019년 가을 상수동 서재에서

독자의 말

글을 쓰고 싶었다. 미래의 전업 작가가 되기 위해서가 아니었다. 세상사에 이리저리 치이던 40대의 자신에게 글쓰기라는 작은 선물을 건네고 싶었다. 2018년 여름에서야 실천에 들어갔다. 집에서 근거리에 위치한 글쓰기 수업 강좌에 참여한 것이다. 다양한 글을 써 왔다는 강사의 소개가 제법 신선하게 다가왔다. 나와 별반 다르지 않게 일과 독서와 글쓰기를 병행하는 그에게서 묘한 동질감이 피어났다.

나중에서야 알았다. 일과 독서와 글쓰기를 위해서는 수도승 같은 일상의 유지가 필수라는 점을 말이다. 글쓰기 강좌에서 쏟아지는 내용을 적다 보니 지속적인 독서가 절실하다고 깨달았다. 하지만 일상에 지친 내가 딱딱한 인문서를 매일 접하기란 생각처럼 만만치 않았다. 16차에 걸친 수업 과정을 들으면서 앞으로 어떻게 독서와 글쓰기를 지속할지 고민이 쌓여 갔다.

책 읽을 시간도 부족했지만 사실 동기부여를 해 줄 응원군이 더 아쉬운 상황이었다. 고민 끝에 마지막 수업의 자유 토론 시간을 이용해서 동료 수강생에게 글쓰기를 위한 독서 모임을 제안했다. 다행히 나를 포함한 4명의 회원이 모임에 동참하기로 했다. 독서 모임의 이름은 '꿈재(꿈꾸는 서재)'라고 정했다. 글쓰기 강좌를 통해 독서에 필요성을 느끼고, 글을 써야 한다는 결심이 서서히 형체를 갖추기 시작한 것이다. 첫 모임은 2019년 1월 서울 마포의 모처에서 열렸다.

꿈재 모임을 시작하고 5개월이 지나서 이봉호 작가와 모임을 같이 하는 자리가 있었다. 그동안 격주에 한 번씩 인문학 독서를 하고 서평을 써 왔던 회원들이 어떤 성장을 했는지 운영자의 입장에서 궁금증이 적지 않았다. 일을 마치고 홍대 주점에 모인 회원들은 서평을 정리한 인쇄물을 작가에게 전달하고 기대 반 걱정 반으로 반응을 기다렸다. 십여 장에 가까운 서평 글을 어두운 주점 조명에서 꼼꼼히 읽는 작가의 모습은 마치 어미 새와 흡사해 보였다.

그는 강의를 마친 이후에도 글쓰기에 대한 질문에 열정적으로 답변을 해 줬으며, 때론 카톡방에서 인문서를 소개하며 다독을 독려했다. 언제가 술자리에서 한 수강생이 그에게 글쓰기 수업을 하는 이유에 대해서 질문했다. 그는 무엇보다도 사람을 만나는 게 좋다고 말했지만, 내가 느끼기에는 '앞선 자가 뒤에 오는 자에게 안내 역할을 자처하는 작가의 열정'으로 보였다.

내 별명은 녹색손가락이다. 별명처럼 자연과 나무를 좋아한다. 자연스럽게 종이로 만든 책을 아끼고 사랑한다. 똑같은 글을 SNS 밴드에 올려 스마트폰으로 읽을 때와, 인쇄물로 읽을 때와, 이를 제본한 책으로 읽을 때의 느낌은 모두 다르다. 꿈재는 서평을 SNS 밴드에 올리면서도 종이로 인쇄한 글을 읽고 토론한다. 이는 독서라는 추상적 행위와, 그것을 담은 기호와, 텍스트를 담은 물성이라는 3가지 변곡점을 공유하는 복합적인 문화 활동이다.

2019년 3월 말에 북서울미술관에서 'Web Retro'전 연계 학술 심포지엄이 있었다. 거기에 토론자로 참석한 양아치라는 아티스트가 '웹 아트(Web art)는 인터넷에서 과거에는 텍스트를 기반으로 했지만, 앞으로는 애니메이션이 기반이다'라는 발언을 했다. 애니메이션은 텍스트와 이미지, 음악 등의 종합예술이다. 현재 인터넷상에 SNS에 업데이트되는 텍스트가(트위터) 이미지로, 다시 동영상(인스타그램, 유튜브)으로 옮겨지면서 표현의 도구가 변화하고 있다.

나는 궁금했다. 아날로그 형태의 독서가 미래에는 어떤 모양이 될지 말이다. 소개하는 『독서인간의 서재』에서는 의문에 관한 답변이 나온다. 책에 등장하는 『예술가의 비밀』 편에서 "진중권은 인문학의 시대가 텍스트에서 이미지로 변해 가는 21세기를 자연스러운 현상으로 받아들인다. 그렇다고 텍스트 자체가 자취를 감출 것이라는 비관론까지 내세우지는 않는다. 그는 가까운 미래에 인문 독서가를 중세 수도승처럼 취급하는 시대가 올 것이라고 예언한다. 책이 아닌 팟캐스트 전파력의 우위를 인정하는 발언이다"라는 내용이다.

그렇다면『독서인간의 서재』의 저자는 독서를 어떻게 정의하는가? 그는 '독서란 비판적 사유를 잉태하는 고차원적인 행위다'라고 정의한다. 따라서 독서는 세상을 바라보는 시선을 만들어 주는 나침판 같은 역할을 한다고 설명한다. 사유의 폭을 넓히고 인식을 새롭게 재정비하여 당면한 현실의 사회문제를 의식적으로 비판할 수 있는 정신의 칼날을 장착하게 한다는 말이다. 책을 읽고, 글을 쓰고, 이를 사유하는 과정이 유기적으로 융합되어 인간은 변화할 수 있다고 저자는 역설한다.

평범한 숲 생태 교육자인 내게 저자는 소개 글을 요청했다. 소중한 기회였지만 결국 마감일을 넘기고 주말에서야 작업을 마무리했다. 정말 오랜만에 1권 분량의 책 원고를 하루 만에 독파하는 경험을 했다. 그렇게『독서인간의 서재』를 읽는 동안 내 안에 숨겨진 무엇인가를 발견했다. 망망대해를 표류하던 일상이 목적지가 선명하게 보이는 순간이었다. 책에서 언급한 40명의 저자 중에 나는 9명의 이름만을 알고 있었다. 게다가 읽은 책이라고는『서양미술사』가 전부였다. 20대 시절에 수업 과제물로 인해 참고 서적처럼 읽다가 도중에 포기한 책이었다.

저자는 『장정일의 공부』 편에서 "인문학이란 친목 모임에 나가서 아는 체 하는 어설픈 교양의 발로가 아닌, 비판 의식의 고양을 바탕으로 한 '자기만의 시선'을 던져 주는 도구다. 따라서 모든 사회현상의 이면에 숨겨진 발톱과 맹독을 동시에 발견하는 일과 함께 이를 자신의 지적 세계에 융화시켜 새롭게 조리하는 과정이 필요함은 말할 것도 없다. 비판 의식이 사라진 인문학이란 공염불에 불과하다"라고 말한다. 인문 독서가 자신만의 시선을 올곧게 갖기 위해 비판 의식을 다지는 행위라는 의미다.

『독서인간의 서재』는 독서의 정의에서 시작하여, 독서의 필요성과 독서가 갖는 사회적 변화의 힘을 실천하고 있는 세계의 지식인을 소개하고, 현시대를 통찰하고 비판하는 책을 소개한다. 더불어 글쓰기에 대한 조언도 빠지지 않고 등장한다. "아무리 글쓰기에 관한 장광설을 쏟아내 봐야 소용없다. 꾸준한 탈고와 퇴고를 통해 필력을 연마하지 않는다면 별무신통이라는 말이다." 결국 독서와 글쓰기는 인내와 끈기를 기반으로 한 창조 행위라는 수식어로 정리가 가능하다.

나는 늦깎이 글쓰기 여행자다. 어느 길모퉁이에서 앞선 자를 보았고, 그가 안내하는 손가락을 따라 눈높이를 교정하는 중이다. 꿈재를 아끼고 사랑하는 동료들은 이 광활한 미지의 글쓰기의 세상에서 서로를 격려하고 위로하면서 나아갈 것이다. 『독서인간의 서재』를 읽고 나자 인생의 작은 실마리를 찾은 기분이 들었다. 인문 독서를 향한 저자의 열정이 고스란히 녹아 있는 서평의 족적을 함께 따라가 보자.

독서 모임 '꿈재' 운영자 기태영 씀

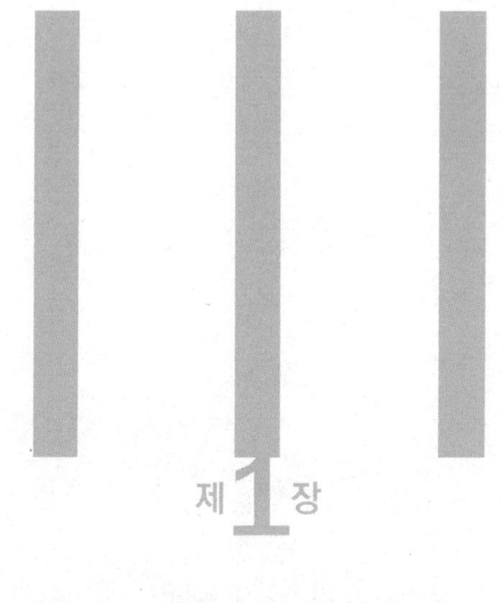

제 1 장

보이는 것과 보이지 않는 것

1. 과거를 설계해 드립니다

설계자들 (김언수)

언제부터인가 현대인은 선과 악이라는 두 가지 진실만을 강요당했다. 태초에 선과 악이 있었으니, 세상은 선과 악이라는 이분법에 근거하여 만들어졌다. 믿습니까? 아닙니다. 틀렸습니다. 세상에는 절대적인 선도, 악도 존재하지 않습니다. 다만 그것을 구분 짓는 얼치기 권력자들이 존재할 뿐이죠. 세상은 그렇게 단순하지 않습니다. 김언수의 장편소설 『설계자들』은 흔히 아는 선과 악에 대한 일종의 '다시 보기'다.

하루 반나절 이상을 책 읽기에 몰두하던 후배가 내게 물었다. "형, 2010년 최고의 한국 장편소설이 뭔지 알아?" 서서히 소설을 멀리하던 세월이었다. 10대부터 20년 넘게 이어져 온 문학광에서 이탈한 이유는 편식 독서로 인한 사유의 부조화였다. 문사철의 한쪽 모서리인 문학이지만 집중타를 가하다 보니 서서히 지식의 결핍 현상이 생기더라.

이후 부지런히 역사, 철학, 문화, 예술, 강연집, 서평, 인터뷰, 인물과 관련한 책을 섭렵했다. 그런 시점에서 맞닥뜨린 후배의 질문은 신선한 도발이었다.

2010년 당시 후배는 상수역 1번 출구 근방에서 '버즈'라는 음악 카페를 운영하고 있었다. 언제부터인가 버즈 카페에는 시인, 소설가 들이 들락거리기 시작했다. 책으로만 접한 작가의 모습을 녀석은 아무렇지도 않은 듯이 털어놓곤 했다. 그들 중 누군가가 추천한 책이 바로 『설계자들』이었다. 사실 마흔 이후에는 거진 소설을 읽지 않았다. 대한민국의 현실과 역사는 더 이상 문학에 기댈 수 있는 부분이 없다는 자조감이 원인이었다.

후배 덕분에 다시 소설과 재회하기로 마음먹었다. 인터넷 서점에서 소설 『설계자들』의 이미지를 클릭했다. 사실 기대는 크지 않았다. 당시 한국 문학계는 최인훈, 김승옥, 이인성, 전경린, 윤대녕 다음을 이어갈 만한 신진 작가의 가뭄 현상이 심각했다. 2000년대를 책임질 만한 토종 작가의 기근을 박민규 혼자 떠안기에는 무리가 있었다. 21세기의 한국문학은 박민규를 기점으로 빈사 상태에 빠진 상황이었다.

소설 『설계자들』에 대해서 박민규는 다음과 같은 추천의 변을 올린다. '숙련된 킬러처럼 저자 김언수는 군말을 하지 않는다. 빠르고, 서늘하게, 또 서슴없이 읽는 이의 옆구리를 찌르는 문장과 이야기를 구사한다. 이런 이야기꾼과 소설을 우리는 기다려 왔다.' 나는 문제작 『설계자들』의 34페이지를 넘기면서 박민규의 추천사가 허풍이 아니었음을 깨달았다.

> "래생은 쓰레기통에서 발견되었다. 아니라면, 쓰레기통에서 태어났거나." (35)

소설에는 래생이라는 킬러가 등장한다. 이름만으로 국적을 판단하기가 쉽지 않다. 래생의 고향은 수녀원 앞 쓰레기통이다. 도발적인 설정이다. 그는 도서관을 사무실로 이용하는 너구리영감의 지시를 받아 누군가를 지속적으로 살해한다. 도서관에는 20만 권에 달하는 장서가 있지만 아무도 책을 빌려가지 않는다. 도서관에서 성장한 래생은 자신의 친부모가 누군지 모른다. 너구리영감은 이렇게 중얼거린다.

> "사전이란 참 좋은 것이지. 감상적이지도 않고 징징거리지도 않고 교훈적이지도 않고 무엇보다 저자들의 그 역겨운 잘난 척을 안 봐도 되니까." (61)

래생의 양아버지인 너구리영감은 사전 말고는 책을 읽지 않는다. 그는 래생에게 책을 읽으면 부끄럽고 두려운 삶을 살 것이라 경고한다. 래생의 직업 논리상 독서는 필요약이다. 너구리영감이 경고했듯이, 생각이 많아지면 킬러의 삶에는 이끼가 달라붙기 마련이다. 이끼는 사유를 상징한다. 사유가 쌓일수록 인간과 사회에 대한 고민이 늘어난다. 그것뿐인가. 독서란 비판적 사유를 잉태하는 고차원적인 행위다. 래생은 끊임없이 고뇌한다. 하지만 그를 둘러싼 세상은 죽고 죽이는 살풍경만을 무한 반복한다. 저자가 그려내는 세상은 사유 기능이 정지 상태에 이른 21세기의 초상이다.

> "시장의 원리는 시장이 처음 생겼을 때나 지금이나 똑같다. 더 좋은 서비스를 더 싸게 공급하는 놈이 이기는 것이다."
> (82)

김언수는 무한 경쟁을 반복하는 현실 속에 자신의 소설을 슬쩍 밀어 넣는다. 소설 『설계자들』의 배경은 암살 사업이 판치는 세계다. 암살 사업 역시 제조업이나 금융업처럼 경쟁의 논리가 적용된다. 이른바 정부가 원하는, 암살의 아웃소싱 시대가 도래한 것이다. 메뚜기도 한철이었다. 너구리영감이 독점하던 암살 시장에 강력한 경쟁자가 등장한다. 미국 스탠퍼드 대학 경영학 석사 출신의 한자라는 인물이 용병과 설계자를 양성하기 시작한다.

래생은 영감의 경고에도 불구하고 책을 가까이 한다. 래생의 유년을 차지한 기억의 대부분은 오래된 서가의 미로,

책과 먼지 그리고 하루 종일 무표정하게 사전을 읽고 또 읽던 너구리영감뿐이었다. 영감은 자신의 인생에 무관심했듯이 래생의 인생에도 무관심한 태도를 고수한다. 래생은 17살이 되던 해에 처음으로 살인을 감행한다. 살인의 대가로 번 돈으로 도서관 밖에 작은 방을 구하고 스스로 밥을 해먹기 시작한다. 아이에서 어른의 삶으로 진입한 것이다. 작품에서 살인이란 행위는 적자생존을 위한 파괴와 말살의 변형된 모습이다.

> "지난 15년 동안 설계자들을 피해 살아남은 사람을 단 한 명도 보지 못했다. 빨리 죽는 놈이 있고 좀더 오래 버티다 죽는 놈이 있을 뿐이다." (151)

김언수는 설계자의 일상을 요란스럽게 묘사하지 않는다. 대화가 사라진 일가족의 쓸쓸한 저녁 식사처럼 살인은 고요하고 신속하게 이루어진다. 독자는 주인공 래생의 혼란스러운 사유의 궤적에 조금씩 빠져든다. 래생은 인간이 오래 전에 잃어버린 또 하나의 자아다. 래생은 생각한다. 자신이 무엇을 하고 있는지, 살인의 의미가 무엇인지에 대해서. 그는 정신적인 방황을 거듭하면서 살인이라는 극단적인 행위를 쉬이 멈추지 못한다.

> "악역의 자리라도 앉을 만한 사람이 그 의자에 앉는 게 가

장 좋은 거야. 그리고 확실히 한자는 나보다 더 현명한 악인이고." (213)

청부 살인 업계에서 유명을 떨치던 너구리영감은 자신을 살해하려는 한자의 의도를 알아챘다. 너구리영감은 자신 앞에 닥친 죽음의 기류에 동요하지 않는다. 그는 한자를 제거하자는 양아들 래생의 제안도 거절한다. 저자는 죽음까지 도구화하는 디스토피아를 묘사하는 데 공력을 기울인다. 마치 올더스 헉슬리(Aldous Huxley)의 『멋진 신세계』의 재림을 보는 듯한 기시감이 떠나지 않는다.

변함없이 누군가를 제거해 나가는 래생. 책을 움켜쥔 킬러가 진정으로 원하는 세상은 무엇일까. 김언수는 마지막 순간까지 주인공에게 자비를 베풀지 않는다. 저자는 철저하게 자신의 아바타로 설정한 래생을 경쟁 일변도로 치닫는 탈진 사회의 희생양으로 만들어 버린다.

소설 『설계자들』은 서사와 디테일의 완벽을 지향한다. 등장인물과 배경의 비현실적인 설정에도 독자는 래생의 차가운 현실과 자신이 속한 현실을 구분하지 못하기에 마지막까지 책을 내려놓지 못한다. 김언수의 글은 서사의 비현실성마저 사뿐히 극복한다. 저자는 후기에서 이렇게 말한다.

"나는 이제 선과 악의 구분을, 명확한 정의와 분명한 진실을 믿지 않는다. 단색으로 만들어진 세상을, 이분법을, 칼날처럼 날카로운 비판과 명쾌한 아포리즘을 믿지 않는다. 나는 누군가를 완벽한 악인으로 만드는 모든 구호들을 경계한다." (420)

아포리즘을 불신하는 김언수는 영리하다 못해 영악스러운 장편소설 한 권을 세상에 내놓는다. 그의 초기 단편소설에서 보여 준 기발한 상상력의 세계는 현실과 구분할 수 없는 장편의 세계로 전이된다. 나는 이것을 '패기만만한 서사 집필가의 작은 승리'라고 말하고 싶다. 김언수는 2016년 차기작 『뜨거운 피』를 통해 느와르 문학이라는 영역을 구축한다.

작가의 분신과도 같은 『설계자들』은 2016년 프랑스 추리 문학 대상 후보에 오른다. 2019년에는 미국 『뉴욕타임스』가 선정한 '베스트 윈터 스릴러' 6선에 당당히 선정되는 기염을 토한다. 이 작품은 현재 전 세계 20여 개국에 판권이 팔린 상태다. 하루 속히 『설계자들』 속편이 나오기를 열독자의 심정으로 희망한다.

2. 어퍼컷을 날리다

1등만 기억하는 더러운 세상 (공지영 외)

처음으로 1등을 해보았다. 종목은 100미터 달리기였다. 반에서 제일 빠른 건 아니었고, 고작 10명 중에서 그랬다는 거다. 어쨌거나 난 학급 대표 계주 선수로 뽑혔다. 믿기지 않지만, 체육대회에서 전교생의 눈총을 받는 육상 선수가 되었다.

기다리던 학기말 체육대회 날이 도래했다. 계주 시합을 알리는 체육 선생의 호루라기가 빽 하고 비명을 지른다. 잠시 후, 누군가가 나를 향해 달려온다. 오른손에 파랑 바통을 쥔 여학생의 간절한 눈빛을 잊을 수 없다. 내가 잘 생기고 멋진 학생이어서는 당연히 아니고, 우리 팀 첫 번째 주자가 달리다 넘어지는 바람에 순위가 꼴찌로 추락했기 때문이었다.

바통을 받기 위해 기다리는데 한쪽 다리가 심하게 떨리더라. 기적을 바라기는 이미 늦었다. 꼴찌에서 2등만 하면 좋겠다는 생각이 스쳤다. 그러면 조금 덜 창피할 것 같았다. 나는 열심히 달렸고, 결과는 아쉽게도 꼴찌였다. 그렇게 달리기로 1등에서 꼴찌를 오가는 경험을 했다. 때는 늦은 봄이었고, 나를 제외한 달리기 친구들은 눈물을 훔쳤다. 열심히 달렸으면 그만이지 눈물까지 흘려야 할 이유를 알 수 없었다.

그들은 왜 1등에 환호할까. 1등은 성공이고, 꼴찌는 실패라는 유치한 이분법은 어떤 종자가 고안해 낸 불문율인가. 이는 수많은 학생과 노동자를 일등병 환자로 만드는 일종의 선동 문구다. 그래서 1등이 싫냐고 묻는다면 잠시 고민에 빠질 듯싶다. 1등이 좋다고 치자. 그 다음에는 1등을 지켜야 하는 지상 과제가 주어진다.

1등을 하려고 아래에서 치고 올라오는 이들의 이글거리는 야수의 눈빛을 보라. 그들은 1등이라는 자리가 외롭고 시시하며 황망하다는 사실에 무관심하다. 그렇게 세상은 인간이 미쳐 죽는 날까지 1등을 독려하고 강요한다. 1등이라는 이데올로기는 무한궤도를 맴도는 속인에게 일종의 질서를 부여한다. '제발이지 일등만 해라. 그러면 새로운 세상이 열릴지어다'라고 말이다.

이제는 흔하다 못해 식상해진 미디어 세상. 모든 환경이 광속으로 변하는데 책이라고 가만히 있을쏘냐. 그렇다. 책도 시대의 흐름을 탄다. 전자책이야 그렇다 치고, 인터뷰 내용을 책으로 출판하는 현상은 나름 흥미로운 영역이다.

현장의 목소리를 텍스트로 접하는 과정의 체험. 음성과, 현장감과, 문자가 책이라는 매체로 재탄생한다는 사실은 매력적이다. 그렇게 나는 한겨레출판사에서 기획한 '인터뷰 특강' 시리즈의 열독자가 되었다.

인터뷰 특강 시리즈를 빠짐없이 읽었다. 그중에서 가장 먼저 떠오르는 책은 『1등만 기억하는 더러운 세상』이다. 이 책을 1등병 환자에게 권하는 것은 휘발유 통을 안고 불구덩이로 들어가는 행위와 진배없다. 2등 언저리에서 발버둥치는 야심가에게도 마찬가지다. 차라리 순위는 늘 바닥권에서 맴돌지만 양보를 알고, 희생을 알며, 가끔은 주위를 바라볼 줄 아는 사람다운 이에게 어울리는 책이 아닐까 싶다.

이 책에는 다섯 명의 강연자가 등장한다. 노회찬, 앤디 비클바움, 공지영, 마쓰모토 하지메, 마지막으로 김규항이 그들이다. 정치인, 명의 보정사, 소설가, 사회운동가, 논객으로 구성한 모습이 보인다. 이들은 1등만 기억하는 세상에 대해 어떤 생각을 가지고 있는지 살펴보자. 일번 타자는 2018년 세상을 떠난 진보 정치인 노회찬이다.

> "그토록 무한 경쟁이 좋다면 규제 없이 무한 경쟁이 보장되는, 한마디로 완벽한 시장의 자유가 살아 있는 곳, '동물의 왕국'을 권하고 싶습니다. 하지만 분명 살고 싶어 하지 않을 것입니다. 그래서 적절한 규제가 필요한 것입니다." (24)

노회찬은 사회를 표현하는 레토릭 중에서 가장 많이 사용하는 비유가 '동물의 왕국'이라고 말한다. 이는 경쟁에서 살아남는 자만이 과실을 따먹을 권리가 있다는 식으로 무한 경쟁을 찬양하고, 경쟁 논리를 부추기고 합리화하는 시장주의자에게 던지고 싶은 말이라고 강조한다. 경쟁은 사람과 사람 사이에 벽을 만든다. 그 벽이 단단해질수록 좌절의 강도는 높아진다. 1등을 제외한 모두가 고통을 감수해야 하는 무간지옥이 바로 신자유주의 사회다.

> "이제 우리는 1등 내지 1등급만을 위한 사회가 아닌, 적절한 경쟁을 보장하되 소수가 다수를 수탈하는 불공정한 경쟁을 규제하면서 사회적 간극을 좁혀내는 사회로 가야 합니다. 이렇게 합리적인 경쟁을 할 수 있는 시스템으로 가기 위해서는 1차적으로 정치권이 바뀌어야 합니다." (35)

그는 적절한 경쟁, 합리적인 경쟁이 존재하는 사회를 희망한다. 세상에 그런 형태의 경쟁이 어디 있냐고 반문할지도 모른다. 현대인은 무한 경쟁을 당연시하는 질식 사회에서 살고 있으니까. 어떤 놈이든 짓밟고 오르지 않으면 인생이 끝장날 거라고 학교, 직장, 가정, 모임에서 돌림노래를 부른다. 그렇다고 이 모든 현상을 자본가와 정치인의 책임으로 몰아 버린다면 비겁한 소리다. 어차피 사는 게 정치다. 정치를 잘 하는 사람은 나무늘보처럼 놀면서도 무화과를 척척 따먹는다. 정치를 못하는 사람은 24시간 내내 용을 써도 패자의 굴레에서 벗어나지 못한다. 1등만을 위한 사회는 우리 모두의 책임이다. 다음은 열혈 작가 공지영 씨의 순서다.

> "소설가는 1등에서 10등까지 엘리트들이 우리를 부당하게 지배하려고 할 때 그것과 싸우는 대다수의 편에 서야 하는 사람입니다. (중략) 저는 소설가로서 비인간화된 1등들, 즉 경쟁 사회에서 남을 제치고 올라서서 나머지 패배한 사람들의 쓰라린 아픔을 전혀 헤아리지 않는 그런 비인간화된 1등들과 싸울 책무가 있다고 생각합니다." (117)

그는 서른 후반 즈음에 소설 창작을 시작했다. 나는 공지영 작가처럼 지배계급과 싸워야 하는 당위성을 토로하는 소설을 상상하지 못했다. 뭔가 있어 보이고, 뭔가 멋져 보이려고 소설을 배웠다. 나이 70살을 넘겨서도 직업란에 소설가라고 당당히 적고 싶었다.

소설가는 예술가인가. 정확히 맞다. 예술가에게 창조란 자신의 생명 줄과 다름없다. 소설 역시 마찬가지다. 창조를 위해서는 보이는 현상을 새롭게 재단하는 넓은 시야가 필수다. 나는 이것을 건강한 비판 의식이라고 부르고 싶다. 공지영은 누구보다 건강한 비판 의식을 지닌 작가다. 끊임없이 비뚤어진 세상을 향해 날선 목소리를 내고, 세상의 구겨진 틈을 향해 이렇게 소리친다. 이제는 그만 기어 나오라고, 이제는 새로운 세상을 만들어 봐야 할 때라고 말이다.

그는 설명한다. 자기 자신을 사랑하지 않으면 안 된다고, 나를 사랑하고 용서하고 봐주고 다독여야 한다고, 자아를 사랑할 수 없는 내 자신조차도 다독여 주고 이해해 주는 게 필요하다고 말이다. 지나친 자기애는 자멸과 공멸의 지름길이다. 공 작가가 말하는 자신에 대한 사랑은 용서와 이해의 차원에서 해석 가능한 관심의 또 다른 표현이다.

1등이라니, 꿈같은 이야기라고 단언하지 말도록 하자. 아주 쉬운 계기로 누구든지 1등의 영예를 누릴 수 있다. 그럴 때일수록 정신을 똑똑히 차리자. 1등이라고 어쭙잖게 목에 힘주지 말고, 늘 아래를 내려다보는 여유를 잊지 말자. 그게 인간의 길이요, 1등병 환자라는 마수로부터 벗어나는 길이니까.

책 『1등만 기억하는 더러운 세상』은 경쟁이 일상화된 순위 사회를 향한 단정한 외침이다. 분노와 비판만으로 평생을 살 수는 없다. 수단과 방법을 가리지 않고 세워진 대한민국산 스카이 캐슬이 도처에 존재하는 세상은 병든 사회다. 1등을 향한 열망 아래 인간에 대한 존엄을 무시하지 않는 사회. 정작 우리가 기억해야 하는 세상은 1등 아래에 놓인 수많은 정상인을 향한 배려와 희생이다.

3. 늙어서 최강이 되라

고민하는 힘 (강상중)

강상중의 『고민하는 힘』은 작고 아담한 책이다. 양장본으로 제작했지만 분량은 200페이지를 넘지 않는다. '반나절이면 읽고 나서 커피 마실 시간이 남겠군'이라고 생각하면 오산이다. 독서 진도를 뽑기가 그다지 어렵지는 않지만 사전에 알아야 할 2명의 인물이 있어서다.

나쓰메 소세키와 막스 베버(Max Weber)가 그들이다. 한 명은 일본을 대표하는 소설가이며, 또 한 명은 독일 출신의 사회학자다. 문학과 사회의 만남이라. 얼핏 보면 이들의 조합은 그리 자연스럽지 않다. 그렇다면 강상중은 무슨 연유로 이들을 지목했던 것일까. 설명에 앞서 강상중의 이력을 잠시 살펴보자.

1950년 일본 구마모토에서 폐품 수집상의 아들이자 재일교포 2세로 출생. 1972년 한국 방문을 계기로 강상중으로 개명. 독일 뉘른베르크 대학에서 정치학과 정치사상사를 전공. 1988년 재일 한국인으로서는 최초로 도쿄대학 정교수로 임명. 2010년 도쿄대 현대한국연구센터 초대 센터장으로 임명. 저서로 『마음의 힘』, 『살아야 하는 이유』, 『도쿄 산책자』, 『사랑할 것』, 『반걸음만 앞서 가라』, 『재일 강상중』, 『오리엔탈리즘을 넘어서』, 『내셔널리즘』 출간.

출판계에서 저자의 브랜드는 중요하다. 강상중이라는 브랜드의 정체는 무엇일까. 그가 한국에서 출간한 초창기 결과물은 인문서다운 성향이 강하다. 이는 대중서보다는 연구서 집필에 주력한다는 의미다. 10여 년이 지난 지금의 강상중은 글쓰기의 모양새를 다듬은 느낌이 짙다. 본격 인문서에서 대중서로 글의 무게를 대폭 감량했다는 말이다. 제목 또한 실용서나 자기 계발서의 분위기를 띠고 있다. 아카데미즘에서 저널리즘으로 글쓰기 방식을 전환하고 있다는 증거다.

강상중은 한국 못지않게 인종차별이 심한 일본이라는 공간의 주류 지식인으로 편입되었다. 그간 말 못할 우여곡절이 많았으나, 이제는 강상중이라는 이름 석 자만으로도 일본 학계에서 차지하는 비중이 상당하다. 대중은 자신이 이루지 못한 고지를 선점한 인물을 무조건 올려다보는 경향이 있다. 이른바 강상중 신드롬을 영웅주의로 묘사하든, 설익은 선민의식으로 묘사하든, 강상중은 독서가에게 희망을 주는 존재임이 분명하다. 『고민하는 힘』을 찬찬히 살펴보자.

> “‘자기중심주의자’라는 말을 듣는 사람들은 사람에 대해 별로 생각하지 않지만 ‘자아’에 대해 고민하는 사람은 대개 ‘타자’의 문제에 대해서도 고민하기 때문이겠지요.” (31)

나쓰메 소세키는 과거에 즐겨 읽었던 소설가다. 서평집을 처음 준비할 때는 책에 등장하는 40권의 목록에 나쓰메 소세키의 『행인』을 포함하고자 했다. 고민 끝에 강상중의 『고민하는 힘』을 선정했다. 강상중과 나쓰메 소세키를 한꺼번에 다루고자 했음을 밝혀 둔다. 나쓰메 소세키는 한마디로 연식이 오래된 작가다. 그가 세상을 떠난 해가 1916년이니 무려 1세기라는 공백이 존재한다.

그는 일본 문학계에서 가장 많이 읽히는 작가 중 한 명이다. 이유는 그의 소설에 등장하는 인물에 있다. 나쓰메 소세키 작품의 필살기는 지식인의 허상을 파고드는 탁월한 심리묘사다. 나쓰메 소세키의 소설은 지금 읽어 보아도 고전에서 풍기는 거리감이 느껴지지 않는다. 강상중은 나쓰메 소세키 작품에서 등장하는 인물과 인물 사이를 집요하게 파고든다.

저자는 19세기 문명의 발달로 인한 사회의 해체와 자아의 과잉을 우려했던 나쓰메 소세키의 예지력에 주목한다. 강상중은 나쓰메 소세키의 전작 중에서 『마음』이라는 작품을 떠올린다. 그는 소설적 자아가 비대해질수록 자신과 타자와의 거리감이 좁혀지지 않는다고 경고한다. 강상중은 철학자 카를 야스퍼스(Karl Jaspers)의 말을 빌어 스스로 성을 쌓은 자는 반드시 파멸한다고 언급한다.

> "돈은 참으로 이해하기 힘든 성질을 지니고 있어서 '노동의 보상'과 같은 의미를 떠나 '돈'으로 독립하게 되면 그 자체가 목적이 되고 맙니다." (56-7)

막스 베버는 『프로테스탄트와 자본주의 윤리』에서 자본주의의 미래를 예견한다. 20세기 초반에 미국을 방문한 막스 베버는 사양길에 접어든 유럽의 대안으로 미국이라는 신세계에 집중한다. 그는 내장 전체가 몸 밖으로 보이는 한 인간으로 시카고를 묘사한다. 승객을 가득 채운 채로 이동하는 전차에서 뉴욕의 미래를 보았다. 막스 베버의 예견은 어느 정도 들어맞는다. 물질문화의 근원지인 미국이 벌이는 원맨쇼는 지금까지 계속되고 있으니까.

동시대를 살았던 나쓰메 소세키는 일본 최초의 영국 유학생이다. 막스 베버가 미국 체험을 통해서 자본주의의 미래를 보았다면, 나쓰메 소세키는 일본인의 시각으로 유럽의 현실을 체험한 인물이다. 자신의 자서전에 가깝다고 토로했던 소설 『길 위의 생』을 통해 저자는 자본주의의 실체를 묘사한다. 그는 모두가 돈을 가지고 싶어 하며, 돈 이외의 모든 것은 부차적인 존재일 뿐이라고 토로한다. 심약한 지식인은 자본의 시대를 별 저항 없이 받아들인다는 말이다.

> "젊은 사람들은 더 크게 고민했으면 좋겠습니다. 그리고 고민을 계속해서 결국 뚫고 나가 뻔뻔해졌으면 좋겠습니다." (170)

강상중이 말하는 청춘이란 무엇일까. 그는 청춘이란 사회적인 의혹이 모두 사라질 때까지 본질의 의미를 캐묻는 것이라고 언급한다. 이 과정에서 좌절과 비극의 씨앗이 뿌려지기도 한다. 미숙하기에 의문을 능숙하게 처리하지 못하고 발이 걸려 넘어지기도 한다. 그게 바로 청춘이라고 저자는 설명한다.

그렇다면 나쓰메 소세키가 살았던, 지적 자유를 꿈꿨던 시대와 현시대의 차이는 무엇일까. 강상중은 현재가 훨씬 더 황폐한 문화의 불모지가 되었다고 정의한다. 통제할 수 없을 정도로 쏟아진 자유가 고민하는 힘을 무너뜨려 버렸다는 내용이다. 저자의 표현대로 인간은 자기 인생에서 일어나는 사건의 의미를 퍼즐처럼 맞춰 가면서 살아간다. 사건의 의미를 이해하지 못한다면 모름지기 인간이란 절망에 빠지기 마련이다. 결국 확신에 다다를 때까지 끊임없이 고민하는 힘만이 인생의 굴곡에서 빠져나올 수 있는 방법이라고 말한다.

강상중은 『고민하는 힘』을 통해 집요하게 독자에게 질문을 던진다. 과연 고민다운 고민을 하면서 살고 있는지. 그 고민의 끝이 어디인지 상상해 본 적이 있는지. 고민 자체가 두려워서 고민하는 방법을 망각한 것이 아닌지 말이다. 현대인은 사유다운 사유가 사라진 시대에서 살고 있다. 찰나의 기쁨과 무의미한 쾌락만이 칼춤을 추는 세상이다. 적어도 하루에 한 번 이상씩은 자문해 보자. 진정 고민하는 힘을 가지고 살고 있는지. 그렇지 않다면 고민할 용기가 부족한 것은 아닌지에 대해서 말이다.

4. 뇌섹남은 존재하는가

버티는 삶에 관하여 (허지웅)

“허지웅이네. 방송에 나오는 남자인데 책을 썼나 봐.” 소파에 누워 책을 읽는데 아내가 말을 걸었다. 서둘러 책표지를 다시 살펴보았다. 제목 『대한민국 표류기』. 저자 허지웅. “응? 허지웅이 유명한 사람인가 보네. 하긴, 내가 그 방송인을 알 리가 만무하지.” 텔레비전 시청이라고는 영화나 다큐멘터리 정도가 전부인 내게 연예 프로그램은 예나 지금이나 다른 세계에 속한다.

2013년 여름으로 기억한다. 당시 읽던 책이 바로 허지웅이 쓴 책이었다. 책 『대한민국 표류기』를 고른 이유는 제목이랑 표지가 그럴싸해서였다. 어라, 별 기대 없이 도서관에서 빌린 책이 막상 읽어 보니 글재주가 제법이었다. 뭐랄까, 대형 마트에서 구입한 8,900원짜리 스페인산 레드와인이 은은하면서 묵직한 뒷맛을 남길 때와 흡사한 기분이었다.

반나절 만에 허지웅의 책을 읽어 치웠다. 다독의 기쁨이자 보람이란 이런 거다. 아무 생각 없이 집어 든 책에서 밀려오는 희열감. 잔뜩 날이 서 있지만 허장성세라고는 털끝만치도 보이지 않는 작가의 면도날 같은 문장에 눈길이 갔다. 그날 허지웅이라는 멋진 작가를 알았고, 그가 쓴 책을 모조리 읽기로 했다.

막상 인터넷 서점을 뒤져 보니 허지웅이 쓴 책은 『망령의 기억』이라는 영화 에세이가 전부였다. 2014년에서야 『개포동 김갑수씨의 사정』이라는 책이 등장한다. 막상 읽어 보니 영 감흥이 없었다. 이게 『대한민국 표류기』의 작가 허지웅이었나 싶을 정도로 논조의 일관성도 묵직한 어법도 찾아볼 수 없었다. 다시 용기를 내서 신간 『버티는 삶에 관하여』를 구입했다.

박스 포장을 뜯고 목차를 훑어보니 『대한민국 표류기』와 겹치는 항목이 몇 있더라. 제목을 바꾸고 원고를 추가한 책이었다. 그제야 다시 허 작가를 만난 기분이었다. 허지웅은 제법 찰진 글을 쓰는 작가다. 이틀 만에 책을 다 읽고, 네이버에서 '허지웅'을 검색해 보았다. 기자, 영화 평론가란 소개 글이 나오더라. 영화 평론가여서인지 허지웅의 글은 이미지를 강조하는 느낌이 강하다. 거기에 저자의 경험담이 합쳐지면 밀도 높은 글밥이 지어진다.

인터넷으로 본 허지웅의 이미지는 까칠한 도시 남자의 분위기를 띠고 있었다. 게다가 하늘을 찌를 듯한 콧날은 여심을 끌어당기기에 부족함이 없다. 달큰한 외모에, 방송을 들었다 놓는 말재간에, 결정적으로 글재주까지. 그렇다고 '도대체 이 남자는 부족한 게 뭘까'라는 질투심으로 시간을 낭비하지 말기를 바란다. 허지웅의 책 『버티는 삶에 대하여』를 일독하면 저자가 묻어 놓았던 고민의 흔적이 속속들이 등장하니까.

"맞다. 나는 엄마가 창피했다. 이후로도 그랬다. 뭘 해보겠다며 식당에 나가서 설거지를 하다가 손목과 무릎이 상해 며칠을 드러누워 있을 때도 그랬다. 우리에게 말도 안 하고 리어카에 양말을 가득 싣고 나갔다가 며칠 만에 포기하고 다시 드러누웠을 때도 그랬다. (중략) 그래서 또한 동시에, 나는 그녀에 대해 늘 근심하고 연민을 느꼈다. 안타깝고 슬펐다. 나는 지금도 엄마의 전화를 잘 받지 않는다." (16-7)

허지웅은 상처 드러내기에 능숙한 남자다. 그는 자신의 그늘진 과거를 에둘러 포장하려 들지 않는다. 그는 자신의 음울한 과거를 고대 북유럽 왕자처럼 안개 속에 숨겨 놓지 않는다. 결정적으로 수치심의 정체에 대해 누구보다도 정확하게 파악하고 있는 영민한 작가다. 게다가 수치심을 수치스러운 상태 그대로 방치하지도 않는다. 그의 문장에는 언제나 물기가 묻어 있다. 페이지를 넘기는 순간, 물기에서 풍기는 원두커피 향이 코끝을 찌른다. 나는 그의 글에서 작은 기운을 느낀다. 자칭 '글 쓰는 허지웅'이라는 별명이 어울리는 인물이다.

> "그러고 보면 사람은 연민만 아니라면, 자기혐오로도 충분히 살 수 있다. 물론 사랑으로도 살 수 있겠지만 그건 여건이 되는 사람에게 허락되는 거다. 행복한 사람들이 모두 행복하세요 사랑하세요, 같은 말을 떠벌리며 거만할 수 있는 건 대개 그런 이유에서다. 나는 별일 없이 잘 산다." (18)

과연 그런 사람이 있을까 의심스럽지만, 행복으로 가득 찬 일상을 영위하는 이에게 책이란 별로 쓸모가 없다. 자고로 글이란 결핍의 흔적이자 증거다. 마취 없이 상처를 도려내는 심정으로 문장을 완성해 나가는 과정이 바로 작가의 길이다. 작가와 행복은 항시 물과 기름 같은 관계를 유지해야 한다. 개인의 행복과 찰나의 즐거움에 집착하는 작가는 울림이 있는 글을 완성하기 어렵기 때문이다. 허지웅은 작가로서의 일상에 충실한 남자다.

그는 스스로를 '방송인'이 아닌 '방송 건달'이라 부른다. 이는 방송인으로서 존재하기에는 너무나 보잘것없는 자신을 다잡는 겸양의 표현이다. 나는 그런, 적당히 거만스럽지만 솔직한 허지웅을 응시한다. 그는 독자에게 이렇게 외친다. 나는 별일 없이 잘 살고 있다고. 나는 인정한다. 허지웅이 써 내려간 문장 중에서 이보다 더 쓸쓸한 표현은 나오지 않을 거라고.

"사람들은 세상이 바뀌지 않는다고 말하지요. 부조리의 관성을 세계의 질서라고 이야기하지요. 더불어 그걸 인정하고 대안과 차악을 선택하는 게 더 너르고 성숙한 세계관이라고 포장하지요. 세상이 바뀌지 않는 건 세상을 바꿀 마음도 의지도 능력도 없는 자들이 세계의 지도와 구조를 그려왔기 때문입니다." (179)

허지웅은 팬이 많다. 그가 마이크를 잡는 강연장에는 수백 명의 여성 팬이 몰리는 현상이 이를 설명해 준다. 그렇다고 허지웅이 인기에 연연하는 명품남의 운명을 타고났다고 착각하지는 말라. 그는 정치와 사회에 대한 올곧은 시선을 지니고 있으니까.

이번에는 계급에 대한 허지웅의 생각을 살펴보자. 그는 현대인이 계급이라는 단어에 알레르기 증상을 일으키거나 아예 죽은 단어라고 받아들이는 현실에 주목한다. 그는 계급이란 공기처럼 유행과 관계없이 그냥 현실 그대로 존재하는 것이라고 취급한다. 계급을 말하는 남자 허지웅. 그는 아직도 말할 소재가 많이 남아 있는 글쟁이다. 아쉬운 점이라면 조금 더 글 욕심을 냈으면 하는 거다.

"한국 사회에는 나와 생각이 다른 타자가 정의롭지 않을 것이라 여기는 습속이 있다. 그래서 종종 법상식을 상회하는 언어폭력이나 명예훼손, 신상 공개와 같은 일들이 정의롭지 않은 자들에 대한 단죄의 방식으로 집행된다." (294)

허지웅이 드러내는 사유는 다양성이 존재하지 않는 사회에 대한 일종의 찌르기다. 작가란 창조라는 결과물에 연연하는 문자 예술가다. 그렇기에 다양성을 원천적으로 차단한 사회에서 의식 있는 예술가라면 혁명이라는 선택지와 만날 확률이 높다. 시대를 막론하고 타락한 정치가에게 올곧은 예술가란 항시 짐스러운 존재였다.

글쓰는 허지웅이 유명해질수록 한국 사회는 건강해질 것이다. 그만큼의 소신과 자격을 작가 허지웅은 가지고 있다. 그런 그가 아프다. 무난하게 병 치료를 마무리했다는 소식에 마음이 조금 가벼워진다. 아무쪼록 병마를 훌훌 털어내고 멋진 작가로 우뚝 서기를 바란다. 그에게 응원의 노래를 보낸다. 제목은 김민기가 부르는 〈봉우리〉.

사람들은 손을 들어 가리키지 높고 뾰족한 봉우리만을 골라서 내가 전에 올라가 보았던 작은 봉우리 얘길 해줄까? 봉우리. 지금은 그냥 아주 작은 동산일 뿐이지만 그래도 그 때 난 그보다 더 큰 다른 산이 있다고는 생각지를 않았어. 나한텐 그게 전부였거든. 혼자였지. 난 내가 아는 제일 높은 봉우리를 향해 오르고 있었던 거야. 너무 높이 올라온 것일까. 너무 멀리 떠나온 것일까. 얼마 남진 않았는데. 잊어버려. 일단 무조건 올라보는 거야. 봉우리에 올라서서 손을 흔드는 거야. 고함도 치면서. 지금 힘든 것은 아무것도 아니야. 저 위, 제일 높은 봉우리에서 늘어지게 한숨 잘 텐데, 뭐. 허나, 내가 오른 곳은 그저 고갯마루였을 뿐 길은 다시 다른 봉우리로. 거기 부러진 나무등걸에 걸터앉아서 나는 봤지. 낮은 데로만 흘러 고인 바다. 작은 배들이 연기 뿜으며 가고. 이봐. 고갯마루에 먼저 오르더라도 뒤돌아서서 고함치거나 손을 흔들어댈 필요는 없어. 난 바람에 나부끼는 자네 옷자락을 이 아래에서도 똑똑히 알아볼 수 있을 테니까 말야. 또 그렇다고 괜히 허전해 하면서 주저앉아 땀이나 닦고 그러지는 마. 땀이야 지나가는 바람이 식혀주겠지, 뭐. 혹시라도 어쩌다가 아픔 같은 것이 저며올 때는 그럴 땐, 바다를 생각해, 바다. 봉우리란 그저 넘어가는 고갯마루일 뿐이라고. 하여, 친구여. 우리가 오를 봉우리는 바로 지금 여긴지도 몰라. 우리 땀 흘리며 가는 여기 숲 속에 좁게 난 길. 높은 곳엔 봉우리는 없는지도 몰라. 그래, 친구여. 바로 여긴지도 몰라. 우리가 오를 봉우리는.

김민기 작사 작곡 노래 〈봉우리〉

5. 나비처럼 날아 벌처럼 쓴다

말하다 (김영하)

소설가 김영하의 최고작을 꼽으라면 중편 「아이스크림」을 추천한다. 소설은 제목처럼 달짝지근한 단편소설이라고 하기에는 구렁이 담 넘듯이 슬며시 다가오는 뒷맛이 대단하다. 소설의 핵심은 30초 간격으로 실소가 터져 나오는 이야기 속에 감춰진 아이러니를 김영하스럽게 풀어냈다는 데 있다. 줄거리를 살펴보자.

즐겨 사먹는 아이스크림 맛에 이상이 생기자 부부는 관련 회사에 민원 전화를 넣는다. 이윽고 부부 집에 나타난 아이스크림 제조사 직원. 점검원답지 않은 그의 어색한 행동거지와 발언에 부부는 일순 긴장한다. 점검원은 냉장고에 보관 중인 여러 개의 아이스크림을 천천히 먹어 본 뒤, 정중한 사과와 함께 배상 제품을 전달하고 표표히 사라진다. 김영하는 생생한 묘사 기법을 동원하여 소설을 끌고 나간다. 한 편의 멋진 블랙코미디를 완성하는 순간부터 김영하는 말을 건네기 시작한다.

김영하의 글은 전설적인 복서 알리의 발동작과 흡사하다. '나비처럼 날아 벌처럼 쏜다'는 알리의 명언은 글쓰기에도 적용 가능한 메타포다. 김영하는 영리한 작가다. 그의 글은 무엇보다 빨리 읽힌다. 독자가 다른 생각할 틈을 주고 싶지 않다는 작가의 욕심이 느껴지는 대목이다. 그렇다고 그의 소설을 가볍게 보아서는 안 될 일이다. 이완된 상태로 독서를 마친 뒤에서야 독자는 김영하의 위악을 눈치 챈다. 그가 만들어 놓은 장치는 책을 덮은 후에야 작지만 묵직한 파장을 일으킨다. 이게 김영하 문학의 숨겨진 매력이다.

소개하는 책 『말하다』는 소설이 아닌 창작과 글쓰기에 대한 말 그대로 저자의 '말하기'다. 김영하는 소설 창작뿐 아니라 여행기, 여행 에세이, 영화 평론, 강연집에 이르기까지 전방위적인 글쓰기를 즐기는 작가다. 그의 글을 읽다 보면 조정래처럼 혼신의 힘을 다해 필력을 다지는 땀의 흔적보다는 뉴에이지 음악가 윌리엄 애커먼(William Ackerman)의 어쿠스틱 기타 연주를 배경 삼아 자판을 두드리는 중년 작가의 모습이 떠오른다. 글 쓰는 김영하가 아닌, 말하는 김영하는 어떤 세상을 마음에 담고 있을까.

"무모함이 가능하고 낙관주의가 팽배하던 시절은 이제 지나갔습니다. 지금 같은 시절에 대학을 다녔다면 저도 20년 전처럼 행동하지 못했을 겁니다. 예를 들어, 갚아야 할 학자금 대출이 있고, 안정적인 직장이 없는 부모 또한 아파트 담보 대출을 떠안고 그걸 매달 갚아나가야 하는 처지였다면, 저 역시 습작보다는 취업에 뛰어들어야만 했을 겁니다." (19)

김영하는 서사를 조립하는 현실주의자다. 얼핏 보면 심하게 앞뒤가 맞지 않는 말이다. 창작자는 매일 두 개의 꿈을 꾼다. 자면서 꾸는 꿈과 깨어 있으면서 꾸는 꿈이 그것이다. 꿈은 이상이자 비현실을 의미한다. 소설가를 포함한 모든 창작자는 철두철미한 현실주의자로 자신을 무장하기가 쉽지 않다. 이러한 가정은 이원론에 속한다. 세상은 그리 단순하지 않다. 광장에서 진보와 혁명을 외치면서 자식은 한 달 수업료가 100만 원이 넘는 영어 유치원에 보내는 사회운동가가 있는가 하면, 미국의 패권주의를 찬양하면서 수천만 원을 호가하는 동양화를 그리는 예술가가 버젓이 존재한다.

그는 저자 사인회 자리에서 만나는 이들의 직업이 편의점 알바거나 수년째 취업 준비를 하는 이들이라는 사실을 언급한다. 왜 그들이 자신의 미래에 직접적인 도움이 되지도 않는 소설을 읽는 것일까. 이는 자기 안에 남아 있는 인간다움, 존엄을 지키기 위한 것이라고 말한다. 그는 자신의 강의에 찾아온 취준생에게 '과감한 결단을 내려라, 예술에 투신하라, 인생을 걸어라' 라고 함부로 말할 수 없다고 토로한다.

"이제는 열심히 일해도 성공하기 어렵습니다. 이런 상황에서 우리에게 필요한 것은 낙관이 아니라 비관입니다. 어떤 비관인가? 바로 비관적 현실주의입니다. 비관적으로 세상과 미래를 바라보되 현실적이어야 합니다. 세상을 바꾸기도 어렵고 가족도 바꾸기 어렵습니다. (중략) 우리가 당장 바꿀 수 있는 것은 세상과 자신을 바라보는 관점입니다. 대책 없는 낙관을 버리고, 쉽게 바꿀 수 있다는 성급한 마음을 버리고, 냉정하고 비관적으로 우리 앞에 놓인 현실을 직시하는 것이 우선입니다." (22-3)

그는 비관적 현실주의자를 설명해 주는 예로 2차 대전 당시 독일 아우슈비츠 형무소를 든다. 그곳에서 가장 오래 살아남은 사람은 자신의 어두운 미래를 직시하면서도 하루하루를 의미 있게 살아보려는 비관적 현실주의자들이었다고 말한다. 작가 프리모 레비의 체험서 『이것이 인간인가』에서 확인 가능한 내용이다.

김영하는 모든 일이 잘 풀릴 때에는 괜찮지만 한 번 무너지면 걷잡을 수 없는 낙관주의자의 삶을 거부한다. 그는 미국에 우울증 환자가 많은 이유가 지나치게 낙관적인 태도와 긍정적인 사고를 강조하는 사회 분위기에 있다고 역설한다. 김영하가 생각하는 인간형인 비관적 현실주의자는 현실을 직시하되 그 안에서 최대한의 의미와 즐거움을 추구하는 개인주의자이다.

"견고한 내면을 가진 개인들이 다채롭게 살아가는 세상이 될 때, 성공과 실패의 기준도 다양해질 겁니다. 엄친아나 엄친딸 같은 말도 의미를 잃을 것입니다. 자기만의 감각과 경험으로 충만한 개인은 자연스럽게 타인의 그것도 인정하게 됩니다." (35)

그는 세상에 대한 비관적 현실주의를 견지하면서 윤리적으로 개인주의를 담보하려면 단단한 내면을 갖춰야 한다고 말한다. 남에게 침범당하지 않는 단단한 내면은 지식만으로는 구축되지 않기에 감각과 경험을 통해 완성 가능하다고 강조한다. 지식만 있고 느낌은 없는 사람, 자기 감정을 표현할 줄 모르는 사람은 진정한 개인이 아니라는 의미다. 요즘 같은 저성장 시대에는 모두가 힘을 합쳐 한 길로 나가는 것보다 다양한 취향을 가진 개인이 나름대로 최대한의 기쁨과 즐거움을 추구하면서 타인을 존중하는 것, 그런 개인들의 작은 네트워크를 많이 건설하는 것이 바람직한 방법이라고 부언한다.

"글쓰기는 우리 자신으로부터도 우리를 해방시킵니다. 왜냐하면 글을 쓰는 동안 우리 자신이 변하기 때문입니다. 글을

쓰기 전까지 몰랐던 것들, 외면했던 것들을 직면하게 됩니다." (57)

김영하는 글쓰기에 대해서는 엄숙주의자의 태도를 고수한다. 사람이란 어떤 엄혹한 환경에서도 글을 쓰며, 글쓰기야말로 인간에게 남겨진 가장 마지막 사유, 최후의 권능이라고 강조한다. 글 쓰는 행위는 한 인간을 억압하는 모든 장애물로부터 스스로를 지키는 마지막 수단이기에 예로부터 압제자는 쓰거나 읽는 자를 두려워했다. 이유는 한 가지다. 이들은 본질적으로 기계적인 굴복을 거부하는 존재이기 때문이다.

쓰는 인간 김영하 작가의 화두를 거부하는 자가 얼마나 될까. 지금 이 순간에도 글에 대해서 사유한다는 사실은 아직 패배하지 않았다는 생생한 증거라는 말에 고개가 끄덕여진다. 글을 쓴다는 것. 이는 인간에게 주어진 최후의 자유며, 아무도 침해할 수 없는 마지막 권리라는 저자의 발언에 공감한다. 창작 행위를 반복하면서 세상의 폭력에 맞설 내적인 힘을 기르게 되고, 자신의 내면을 직시하게 된다는 저자의 말에 이렇게 답해 주고 싶다. "김영하 작가님, 당신은 이제 혼자가 아닙니다. 우리는 변함없이 글을 쓰고 글을 고민하고 있으니까요."

6. 압구정 오렌지족의 필독서

화두 (최인훈)

유하의 시집 『바람부는 날이면 압구정동에 가야 한다』를 기억하는지. '물론'이라고 반응하는 독자라면 1990년대의 서울 압구정동을 기억할 것이다. 그는 압구정동을 자본주의 체제가 만들어 낸 욕망의 통조림 공장이라고 묘사한다.

유명무실했던 1980년대 후반의 대학 시절, 어쩌다 압구정동에 가면 묘한 분위기에 주눅이 들곤 했다. 압구정동은 결코 잘나지 못한 젊은이의 엉터리 놀이터였다. 압구정길에서 마주치는 선남선녀의 겉모습만으로는 쉽게 알 수 없다. 그들의 아버지가, 할아버지가, 조상이 졸부인지에서부터 그들이 압구정동 40평대 자가 아파트에 터를 잡은 선택받은 인종인지에 대해서 말이다.

작가 최인훈을 소개한다. 압구정동과 최인훈이라. 아무리 봐도 어울리지 않는 조합이다. 30대 시절부터 부지런히 최인훈의 작품을 모았다. 신춘문예를 준비하던 문학판 친구들은 최인훈의 최고작을 언급할 때 『광장』이나 『회색인』을 떠올렸다. 최인훈에게 소설 『광장』이란 저자의 분신과도 같은 작품이다. 특히 2018년에는 최인훈의 죽음과 함께 가장 많이 언론에 등장한 작품이 바로 『광장』이다.

소개하는 장편소설 『화두』는 저자의 시선을 냉전 세계로 넓힌 후반기 작품이다. 소설의 구성 요소에서 사유란 대부분의 작가가 부담스러워하는 요소다. 사유를 무시한 소설이란 신변잡기에 머무는 문학적 가벼움으로 치달을 위험이 있다. 그렇다고 쉽사리 사유를 소설에서 쫀아내기란 쉽지 않다. 하지만 최인훈은 자신의 작품에서 빈번하게 등장하는 사유를 매개로 작가의 인생관을 저울질한다.

고로 최인훈의 치명적인 매력은 사유에 있다. 최인훈은 한국문학계에서 사유를 능수능란하게 다루는 흔치 않은 작가다. 그 사유의 정점에 위치한 소설이 바로 『화두』이다. 출간 당시, 페이지를 넘길 적마다 사유에 짓눌려 식은 땀을 흘렸던 기억이 새롭다. 아마도 인문학과 사회과학의 배경 지식이 빈약한 사회 초년생에게 최인훈의 『화두』는 독서 인생 자체의 화두일 수 있다.

"이 나라에 입국한 이래, 사람은 관념의 세계시민은 될 수 있어도 그와 마찬가지로 현실의 세계시민이 될 수는 없다는 실감이었다." (1부, 125)

1990년대 한국 소설은 커다란 전환기를 맞는다. 1980년대를 뒤흔들었던 민중과 이데올로기라는 예술적 소재가 종말을 고한다. 미하일 고르바초프(Mikhail Gorbachev)의 개방정책, 한국 민주화 운동, 구소련의 붕괴로 이어지는 사건 사고 속에서 자유, 평등, 민주라는 화두는 예술가에게 오래된 유물로 추락한다. 당시부터 한국문학은 신경숙, 전경린, 윤대녕, 김영하류의 사소설이 주류를 이룬다. 이후 등장한 박민규, 김연수, 천명관, 김애란 등의 작가는 1990년대 문학의 유산인 개인사에 천착하는 경향을 보인다. 그들은 오랫동안 대중문화를 매개로 한 사소설에 매진한다.

1세대 현대문학 주자 최인훈은 분단 문제와 군부독재하에서 연명하는 개인적 삶이라는 두 가지 화두를 들고 나온다. 『광장』이 대한민국 현대사의 굴곡진 구석을 파고들었다면, 『화두』는 냉전 시대의 주역인 미국과 구소련으로 망원렌즈를 돌린다. 작품을 통해 인간이란 체류하는 공간에 영향 받는 존재가 아니라는 부분에 방점을 찍는다. 최인훈이 바라보는 예술이란 무엇일까. 서두에서 밝혔듯이, 개인이란 예술 속에서 수없이 부활할 수 있으며 윤회할 수 있는 존재다.

“사실 인간이 자기 몸 밖에 두고 자기 삶을 돕게 하고 있는 온갖 것들은 일종의 〈시계〉이다. 의식주를 위한 온갖 도구들은 그 도구들이 발생해서 현재까지에 이른 시간의 기록이

며, 현재도 사용될 때에는 어김없이 현역중인 시간 즉 시계 들이다." (1부, 425)

저자는 자신의 역사관을 기반으로 화두에 관한 사견을 조금씩 풀어 간다. 하지만 최인훈은 왜 『화두』가 1990년대에 강남에 거주하며, 금수저 인생을 유지하며, 무절제한 소비 행각을 벌인 껍데기 청춘의 필수품이 되었는가에 대해서, 왜 『화두』가 뇌세포와 심장이 파괴된 압구정 오렌지족의 과시용 소장품이 되었는지는 예상하지 못했다. 그들에게는 자신의 저급한 교양 수준을 만회해 줄 장식용 도서가 필요했다. 음악에는 털끝만치도 관심이 없으면서 단지 도이체 그라모폰 음반사의 디자인이 마음에 들어 수천 장의 클래식 시디를 사재기한 자와, 생전 읽지도 않을 문학 전집을 서재에 모셔놓는 자의 공통점은 한 가지다. 물질문화에 도취된 자신을 다시 물질로 망각하려는 돈놀이를 즐긴다는 거다.

최인훈은 급박하게 돌아가는 냉전 이후의 세계를 시간이라는 단초로 정리한다. 사람이란 흐르는 시간에 본능적으로 무감각한 존재다. 작가에 따르면, 시간은 인간의 몸과 하나인 탓으로 눈이 자기를 보지 못하는 처지에서 벗어나 자신을 볼 수 있게 된다고 말한다. 그렇게 시간이란 인간의 주변에서 인간을 바라보는 일종의 나침반 같은 존재다. 범인은 습관처럼 흘러간 시대와 세월의 무상함을 말한다. 그는 사라진 시간 속에서 막연하면서도 확실한 무엇을 전달받은 느낌을 동시에 인지한다. 책이야말로 가장 강력한 시간의 보관자요, 시간을 살아 있는 대로 유지시키는 그릇이라고 최인훈은 말한다.

> "인간의 의식의 전환은 대개 거짓말임을 역사는 증명하고 있다. 만일 참으로 인간의 의식에 혁명이 일어난다면 그것은 먼저 참회로 나타나고, 개인적인 자기처벌로 나타난다. 즉 공적인 장면에서 사라져야 한다." (2부, 296)

작가는 구소련의 붕괴에 대한 단상을 위 인용글로 대신한다. 구체제가 무너진 소련 최고위 책임자들이 과거의 정치 행태를 입에 침을 튀기며 비판하는 상황을 반복한다. 마치 잠적한 사이비 종교의 전도사를 비난하는 신자와 다를 바 없는 모습이다. 어떤 정권이든 혁명이라는 모습으로 근본적인 의식의 전환을 완성했다는 말은 명백한 위선이다. 혁명이란 체제의 완성이 아닌, 체제의 시작일 뿐이다. 작가는 참회와 자기 처벌이 없는 전환이란 역사적으로 인정할 수 없다고 주장한다.

이데올로기란 인간을 위해 탄생한 도구에 지나지 않는다. 인간이 이데올로기의 종속물이 되는 순간, 인간 본연의 삶이란 존재할 수 없다. 그럼에도 많은 국가와 사회와 계급과 인간이 이데올로기라는 마약에 취해 있다.

직장에 다니면서 중편소설 창작에 매진하던 선배와 서울 대학로에서 맥주를 마시던 때의 기억이 떠오른다. 20년 전 우리는 최인훈의 문학 세계를 논하며 저녁 시간을 보내곤 했다. 무슨 이야기를 나누었을까. 소설 『광장』과 『회색인』을 비교하며 독서의 취향을 공유했다. 선배는 『광장』을, 나는 『회색인』을 최인훈의 수작으로 평가했다. 선배와 최인훈이 아니었다면 감히 소설 창작을 시도하지 못했을 것이다. 지금 내 곁에는 선배와 최인훈 모두 존재하지 않는다.

최인훈은 사람은 자신이 추종하는 정치가의 삶을 흉내 낼 수 있지만 다시 원점으로 되돌아오거나 그 이전으로 돌아간다고 말한다. 여기에서 인간이란 단지 관념적인 존재가 아님을 주의하자. 기억의 밀림 속에서 정당하고 옳은 맥락을 찾아내어 그 맥락의 틈 사이로 연대를 만들어 낼 때에만 인간은 역사의 주인공이 될 수 있다. 관념의 틀을 깨고 나오는 순간에서야 인간은 자신이 세상의 중심 근처로 향하고 있음을 감지한다. 최인훈이 말하는 21세기형 인간이란 주체 의식이라는 화두를 포기하지 않는 역사적인 완성체를 의미한다. 2018년 귀천한 최인훈와 함께 소설 『화두』는 한국문학의 전설로 남는다.

7. 내게 인문학을 해봐

장정일의 공부 (장정일)

10대 시절 장정일의 희망 직업은 동사무소 공무원이었다. 이유는 따박따박 월급을 받으며 퇴근 후 7시부터 책을 읽기 위해서였다. 요즘에야 공무원도 근무 환경이 녹록치 않다지만, 청소년 장정일의 눈에 비친 1970년대의 공무원은 퇴근 시간이 이른 직업이었나 보다. 20대 시절 장정일은 개미처럼 책을 읽고 시, 소설, 희곡, 서평 글을 쏟아 냈다. 그는 2015년부터 한국일보에 정치 칼럼을 연재 중이다.

소개하는 책 『장정일의 공부』는 두 가지 판본으로 서점에 등장한다. 한 권은 필자가 소장한 책으로 2006년도에 출간한 책이다. 붉은 배경에 엄지손가락만 한 크기의 글씨로 '공부'란 글자가 인상적인 책인데, 아쉽게도 현재 절판이다. 공부라는 주제로 등장하는 책들의 효시인데 벌써 판매고 10만 부를 돌파했다. 책의 부제는 '장정일의 인문학

부활 프로젝트'이다. 두 번째 『장정일의 공부』는 흰색 바탕에 깔끔한 표지 디자인이 돋보인다. 욕심 같아서는 이 책도 서재에 보관하고 싶지만 애써 수집 욕을 억누르는 중이다.

엄청난 독서가인 동시에 실험적인 글쓰기를 마다하지 않는 작가 장정일의 삶은 그리 순탄치 않았다. 그의 장편소설 『너에게 나를 보낸다』는 흥행 영화로 재탄생한다. 영화의 주연배우는 '엉덩이가 이쁜 여자 신드롬'을 일으킨다. 후속편 격인 『내게 거짓말을 해봐』는 사디즘, 마조히즘, 분뇨 도착증이라는 유교 문화권에서 심히 부담스러워하는 내용을 소재로 다룬 이유로 출판 금지라는 무공 출판 훈장을 하사 받는다.

본래 금기란 보수주의자의 반발과 비난이 그림자처럼 따르기 마련이다. 나는 2008년에 장정일의 『내게 거짓말을 해봐』를 중고 서점에서 15,000원에 구입한다. 이 작품은 출판 금지와 함께 장선우 감독의 〈거짓말〉이라는 영화로 다시 만들어진다.

장정일의 재능은 여기서 그치지 않는다. 요즘에야 서평집의 출간이 흔하다지만 1997년 처음 등장한 『장정일의 독서일기』는 출판계의 신선한 충격이었다. 『장정일의 독서일기』 시리즈는 10권이라는, 국내에서 전무후무한 분량을 자랑하는 서평 시리즈의 형태로 출간된다. 전반기에 나온 『장정일의 독서일기』 시리즈는 총 7권으로, 후반기에 출간한 『빌린 책, 산 책, 버린 책』 시리즈는 총 3권으로 이루어져 있다. 서평에도 진화론이 적용된다. 초반기 장정일의 서평은 책에 대한 개괄적인 감상과 설명 위주의 글이었다면, 중반기 이후 장정일의 서평은 작가의 역사관과 비판적 분석을 가미한 서평에 해당한다.

> "'말 많으면 빨갱이'라는 말을 어려서부터 들어 왔던 우리로서는, 함부로 비판적인 사회의식을 가질 수 없었다. 그래도 요즘은 언어적으로는 많이 순화되어 빨갱이 대신 좌파라고 불러 주지만, (…)" (26)

문장의 배경은 다음과 같다. 뒷부분에 소개할 박노자라는 파란 눈의 인문학자의 변을 빌어 장정일은 비판 의식이 결여된 한국의 절름발이 문화를 저격한다. 박노자는 유럽 사회나 러시아 지식인이 당연시하는 비판적인 사회의식을 가지려면 대한민국에서는 운동권이라는 일종의 반란자 대열에 속해야 하는 낯선 현실을 개탄한다.

인문학이란 친목 모임에 나가서 아는 체 하는 어설픈 교양의 발로가 아닌, 비판 의식의 고양을 바탕으로 한 '자기만의 시선'을 던져 주는 도구다. 따라서 모든 사회현상의 이면에 숨겨진 발톱과 맹독을 동시에 발견하는 일과 함께 이를 자신의 지적 세계에 융화시켜 새롭게 조리하는 과정이 필요함은 말할 것도 없다. 비판 의식이 사라진 인문학이란 공염불에 불과하다.

"독일의 나치즘과 일본의 군국주의에 맞서 민주주의를 지킨 미국은, 2차 세계대전 종식 후에 찾아온 소련과 중국의 공산주의 위협으로부터 자유세계를 방어하는 역할을 연이어 떠맡았다. 이때 미국은 좋은 의미에서 '헤게모니의 제국'이었다." (170)

장정일식 분석에 의하면, 1940년대까지만 해도 미국은 조금이나마 세계에 기여할 수 있는 가능성이 있던 나라였다. 예문에 등장하는 안토니오 그람시(Antonio Gramsci)의 헤게모니란 하나의 집단, 국가, 문화가 다른 집단, 국가, 문화를 의도적으로 지배하는 상황을 의미한다. 2차 대전의 승전국이자 수혜국인 미국은 지원, 자유, 평화를 상징하는 '사회문화적 구원자'로서 존재한다고 장정일은 분석한다.

여기서부터 비극이 싹튼다. 베트남 전쟁이야 그렇다 치고, 1989년 베를린 장벽이 철거되고 1991년에 구소련이 해체되자, 군사 강국으로서의 미국은 애매한 존재가 되어버린다. 국방의 의무를 다한 고참 병사가 전역할 시기가 도래한 상황이었다. 영국을 제외한 세상은 더 이상 미국의 손길을 원하지 않았다. 그렇다고 미국이 2차 세계대전 이전으로 회귀할 수도 없는 상황이었다.

2000년대의 미국은 천문학적인 무역수지 적자를 메우기 위한 제2의 도발이 필요했다. 미국은 자국의 군사적 안정이 금융 수입으로 되돌아온다는 사실을 깨닫자 기를 쓰고 군비 확장에 열을 올린다. 이러한 '군사적 연극 행위'는 이라크, 이란 등의 약소국을 상대로 챔피언 방어전을 치르는 의도적인 무력 행위로 변질된다.

> "독일에서 바그너가 지탄받는 이유는 바그너의 음악이 나치의 당 강령이던 민족 공동체 의식과 지도자 원리를 앞서 반영하고 있으며 나치의 공인된 국가 예술로 찬양받았다는 사실에 기인한다." (301)

설명에 앞서 음악가 리하르트 바그너(Richard Wagner)에 대해 간단히 살펴보자. 책 『바그너』를 쓴 롤프 슈나이더에 의하면 바그너의 오페라는 특별히 힘과 체력이 요구되는 창법을 필요로 한다고 말한다. 바그너는 독일 낭만주의와 유럽의 후기 낭만주의를 동시에 되살린 인물이다. 그는 '독일적인 이상'에 집요할 정도로 몰두한다. 이러한 바그너의 낭만주의적 성향은 독일제국이 통일되고 제국주의가 발원할 무렵, 반나폴레옹 독립 정신을 국가적이고 복고적인 수단으로 옮겨 놓는다. 바그너의 국수주의적인 사상은 훗날 유대인 탄압의 선동자인 아돌프 히틀러(Adolf Hitler)와 맥을 같이 하는 부분이다.

장정일은 바그너 사례를 중심으로 예술가의 정치적 한계를 파헤친다. 그는 어떤 작가에 의해 극화되든 간에 민족 신화에서 채취한 영웅담은 자연스럽게 그 민족의 공동체 의식을 고무하게 마련이며, 정치 권력자에게 이용당하기 십상이라고 지적한다. 실제 나치 전성시대의 예술 정책과 선전술은 바그너뿐 아니라 독일의 유명 고전음악을 극우 국가주의 예술의 토대로 동원한다.

> "체제의 나팔수가 된 지식인들이 민중을 프로그램화하는 방법은 의외로 간단하다. 대중을 민주주의의 참여자에서 방관자 혹은 구경꾼으로 만드는 것이다." (315-6)

저자는 소위 민주주의 국가의 통치 계급이란 함부로 무력을 사용하지 못하기 때문에 국민의 자발적인 동의를 구하거나 온갖 정책으로부터 국민을 소외시키기 위해 선전이라는 방법을 동원한다고 설명한다. 여기에 빠진 내용이 보인다. 민주주의 우산 아래서 무력을 사용하지 못하는 것이 아니라, 보다 지능적으로 무력을 사용한다는 부분이다. 21세기 들어 미국의 연평균 해외 파병 횟수가 80여 회에 이른다는 사실이 이를 방증한다. 다음으로 물리적인 무력이 아닌 자본과 차별이라는 이름의 무력으로 가해지는 비민주적 작태가 이에 해당한다.

『장정일의 공부』는 독서 일기의 확장판이라 해도 무방

하다. 『장정일의 독서일기』가 소주제의 집합체라면, 『장정일의 공부』는 거대 담론을 앞세워 이를 뒷받침하거나 반박할 만한 책을 정리한 인문서다. 작가 장정일의 인문 정신은 진화하는가. 그렇다고 본다.

그는 한국의 학벌 제일주의 문화의 피해자이며, 『내게 거짓말을 해봐』 필화 사건으로 인해, 2017년 자살로 생을 마감한 마광수에 버금가는, 사회적 따돌림을 당한 비운의 작가다. 구시대적인 정권의 정치 문화 탄압에도 불구하고 장정일은 한국문학을 대표하는 지식인이다. 장정일의 공부는 멈추지 않는다. 독자는 그의 올곧은 세계관을 읽으며 일그러진 한국 사회의 현재와 미래를 엿본다. 장정일은 말한다. 누구든지 내게 거짓말을 해보라고.

8. 거리의 철학자로 사는 법

강신주의 다상담 1, 2, 3 (강신주)

철학자 강신주가 유명 인사로 변신한다. 그의 유명세는 책이나 강연이 아닌 텔레비전 방송에서 본격적으로 발화한다. 2014년 방송 〈힐링캠프〉에 거리의 철학자로 불리는 강신주가 등장한다. 그는 진행자인 김제동을 상대로 시속 150km에 달하는 돌직구를 날린다.

방송에서 김제동은 이제는 결혼을 안 해도 그만이라고, 얼마 전에는 사자 인형을 샀다고 강신주에게 토로한다. 이에 강신주는 정신병원에 온 것 같다고, 왜 살아 있는 것을 함께 하지 못하냐고 김제동을 꾸짖는다. 이어 성숙한 사람은 죽어 가는 것을 사랑한다고 일침을 놓는다. 시청자는 김제동과 설전을 펼치는 강신주의 도발에 반응한다.

이후 강신주는 바빠졌고 그의 출간서는 세간의 주목을 받는다. 그렇다면 강신주는 방송인인가, 연예인인가. 강의로 청중을 만나는 강신주류의 지식인이라면 적당한 예인

기질이 필요하다. 대중은 변덕스러우면서 때로는 잔인하기까지 하다. 그들의 변화무쌍한 입맛을 맞추기 위해서는 작가로서의 소신이 중요하다. 하지만 이것만으로는 부족하다. 강사로서 청자의 오감을 자극할 만한 언변과 기지와 함께 방대한 지식이 이를 받쳐 주어야만 유명 강사로서 지속성이 보장된다.

강신주의 책을 모두 읽지는 못했다. 지금까지 그가 몇 권의 책을 썼는지 궁금해서 인터넷을 뒤져 보았다. 공저를 제외해도 가볍게 20권이 넘더라. 그것도 인문서로 말이다. 오랜 시간 공부하고, 사고하고, 쓰는 과정을 반복했다는 증거다. 그의 동양 고전서는 지금도 인문 독자에게 인정받는 결과물이다.

인문서를 수십 권 넘게 출간하기란 쉬운 일이 아니다. 방송에 얼굴을 보이는 지식인이라면 무조건 폄하하려 드는 비독서가에게 경종을 울릴 만한 부분이다. 지식인의 생을 압축한 결과물에 대한 근본적인 이해 없이 이어지는 비난이나 비판은 인신공격과 다를 바 없다. 이러한 찰나적인 공격성은 SNS라는 매체의 범람으로 인한 부작용이다. 사고하는 능력을 친절하게 삭제해 주는 SNS의 위용 앞에서 인류는 패퇴를 거듭하고 있다. 지식의 깊이는 보잘것없어지고, 뇌는 자극적이고 찰나적인 단문에만 익숙해지는 중이다. 2019년 신간 『다시, 책으로』에서는 종이 책을 접하지 않는 스크린 세대의 취약점을 고발한다. 저자 매리언

울프는 스크린 세대는 비판적 사고와 반성, 공감과 이해, 개인적 성찰 같은 본성을 잃어버릴지 모른다고 경고한다.

책 『강신주의 다상담』은 모두 3권으로 이루어져 있다. 두꺼운 책이나 전집이라면 고개를 젓는 이들이 많지만 이 책만큼은 예외로 하자. 우선 다른 강신주의 책보다 빨리 읽힌다. 이유는 간단하다. 강신주의 강의록을 책으로 옮겨 놓았기 때문이다. 두 번째 이유는 일반인에게 필요한 '생활형 인문서'라는 부분이다. 다상담 시리즈 1권은 사랑, 몸, 고독. 2권은 일, 정치, 쫄지마. 마지막 3권은 소비, 가면, 늙음, 꿈, 종교와 죽음이라는 주제로 꾸며진다. 제목처럼 인생에 관한 전방위적인 상담의 기록지이다.

강신주의 강의는 열정적이다 못해 종교 부흥회의 분위기까지 느껴질 정도로 진지하기 그지없다. 자정 시간을 넘기면서까지 참석자의 날선 질문에 정성을 다해 응하는 저자의 집중력은 상상을 초월한다. 거리의 철학자라는 강신주의 별명은 독자와 청중과의 지속적이고 변함없는 소통으로부터 출발한다.

"만약에 어떤 사람이 50대나 60대에 삶의 위기를 겪는다면, 그리고 힘들어한다면, 이유가 뭘까요? 처음 겪기 때문이고, 동시에 그것을 겪기에 너무나 약해져 있기 때문이에요. 그래서 항상 사람들한테 강조하는 게 젊었을 때 몸 사리면 안 된다는 겁니다. 젊었을 때는 더럽게 힘들어야 돼요. 그게 다

보험이나 연금 같은 거예요." (1권, 173)

저자는 인생에서 가장 성숙한 사람은 10대 시절에 삶의 질곡을 겪은 사람이라고 말한다. 어차피 모든 사람은 크고 작은 인생 풍파를 겪기 마련이다. 요는 '언제' 겪느냐에 따라 일생이 달라진다는 사실이다. 그런 경험의 중심에 강신주는 '고독'이라는 명제를 슬쩍 밀어 넣는다.

그는 무엇인가에 몰입하지 않는 상태를 고독한 상태라고 정의한다. 그렇기에 고독에 대한 불안감을 느끼기에 앞서 자신이 언제부터 몰입을 멀리했는지 되돌려 보는 용기가 필요하다고 전한다. 사람은 너무나 좋고 매력적인 일을 하고 있으면 고독을 느끼지 않는다는 말을 잊지 않는다. 이러한 몰입을 밀어내는 배경에는 자본이라는 괴물이 숨어 있다고 충고한다. 자본은 자각하지 않는 수동적 인간을 만들기 위해 끊임없이 몰입을 방해하려 한다는 경고다.

강신주는 몰입할 대상이 반드시 사람이 아니어도 좋다고 이야기한다. 몰입한다는 것은 자신이 살아 있다는 사실을 긍정케 하는 삶의 필수 요소라는 말이다. 좋은 문학, 음악, 영화에 몰입하는 과정이야말로 고독으로부터 벗어날 수 있는 효과적인 대안이라고 언급한다.

"자본주의 사회에서 우리는 일을 부정하게 됩니다. 일을 폄하하죠. 이건 어느 순간부터 우리 스스로 돈을 벌기 위해 자

신을 노예로 자처하면서부터 시작되는 거예요." (2권, 35)

그는 소중한 일은 깡그리 돈벌이로 치부하는 작금의 상황을 비판한다. 돈과 무관한 일에 대한 고민이 사라진 세상에 대한 문제의식이 필요하다고 강신주는 외친다. 일을 하지도 않았는데 대가를 챙기려는 가진 자에 대한 지적을 아끼지 않는다. 저자는 사회철학의 근본 강령 중 하나로 일하지 않는 자는 먹지도 말라는 예시를 들이댄다. 마침내 타인이 원하는 일을 하는 자는 노예요, 자신이 원하는 일을 하는 자는 주인이라는 귀결점에 이른다. 선택받지 않고 스스로 선택하는 삶, 강신주는 그 속에 일의 가장 중요한 의미가 숨어 있다고 첨언한다.

"자신만의 선을 찾기 위해 당분간 위악의 제스처가 불가피한 것 아닐까요? 읽고 싶지 않은 책을 읽고, 읽고 싶은 책을 읽지 마세요." (2권, 276)

강신주는 욕망의 일반적인 속성이 사회적 통념을 반복하는 것에 지나지 않는다고 말한다. 그는 자신이 진정으로 원하는 가치를 얻기 위해서는 위악적인 시도를 많이 할수록 그 효과가 배가된다고 부언한다. 대표적인 예로 알려진 철학자나 문인 중에서 괴짜나 이단아가 많다는 이유를 든다. 이는 자신으로서 욕망하고, 사랑하고, 살고 싶었던 인생에 도전했기 때문이라고 강조한다. 이러한 욕망하는 주체로의 삶이야말로 진정한 선의 길이라고 강조한다.

"이런 자기파괴적인 악순환의 고리를 끊기 위해서, 소비자의 자유가 아닌 다른 자유의 가능성을 찾을 필요가 있을 거예요. 그러니까 주인으로서 삶을 살아 내고 있다고 긍정할 수 있는 일을 찾아보세요." (3권, 63)

다시 자본주의다. 자본주의에서 유일하게 허락한 즐거움은 오로지 소비할 때만 제 역할을 해낸다. 인간은 무한 소비의 굴레에서 벗어나지 못하는 비루한 일상을 반복하면서 자신의 정체성을 소비하는 존재다. 결국 돈을 쓰면서 얻은 일시적인 자유의 느낌이 사람을 계속 일하는 존재로 남게 한다고 비판한다.

그렇다면 악마의 탈을 쓴 소비의 굴레에서 벗어나는 방법은 무엇일까. 강신주는 소비의 대안으로 창조적인 활동을 권한다. 자신이 주체가 되어 할 수 있는 일. 즉, 사랑이든, 여행이든, 작품 활동이든 소비가 주는 일시적인 쾌락에서 벗어날 수 있는 능동적인 활동에 해결책이 있다고 주장한다.

"꿈이 없어야 한다는 이야기를 허무한 것으로 들으시면 안 돼요. 충만해지는 삶을 사시라는 거예요. 꿈에 지나치게 집

착하면, 우리는 다른 경우의 삶을 살 수 있는 기회를 놓치게 되니까요." (3권, 325)

이번 장에는 '꿈'이 소재다. 저자는 꿈 무용론을 들고 나온다. 너도나도 꿈을 말하는 세상에서 강신주는 꿈이 있기 때문에 삶이 힘들어진다고 역설한다. 삶이란 절대 뜻한 대로 이루어지지 않으며 완전한 삶 또한 존재하지 않기 때문에 꿈을 제거하려는 노력이 필요하다는 일종의 꿈 비관론이다.

그는 유치한 인간에게만 집요하고 강한 꿈이 존재한다고 주장한다. 누구나 가지는 꿈, 즉 직업이나 경제적 급부를 원하는 꿈은 하루빨리 지워야 하며, 이는 자신의 꿈이 아닌 남의 꿈을 대신해서 경험하는 과정에 불과하다고 설명한다. 자신만의 고유한 꿈을 가지는 것, 자신만의 꿈을 체화한 주체적인 삶을 사는 것이 다상담의 결론이라고 거리의 철학자는 노래한다.

강신주가 조용하다. 2016년까지 이어지던 글쓰기가 휴업 상태에 들어갔다. 그럴 만도 하다. 15년 넘게 이어진 글쓰기에도 재충전의 시간이 필요하기 때문이리라. 모든 철학자는 사유를 자연스러운 일상으로 받아들인다. 여기에서 신호등이 등장한다. 길을 건너면 시대의 우울에 적극적으로 동참하는 철학자가 된다. 제자리에 멈춘다면 시대의 방관자로 남은 시간을 보낼 확률이 높다. 강신주는 지금

횡단보도의 중반부에 서 있다. 그는 어떤 선택을 할까. 분명한 것은 거리의 철학자는 지금도 걷기를 멈추지 않고 있다는 사실이다. 그의 지속 가능한 다상담을 기대해 본다.

9. 읽는 자에게 복이 있나니

멘토의 시대 (강준만)

정치와 무관한 일상에 만족하던 불통의 세월이 있었다. 방관자의 생에 만족하던 30대 남자의 눈가리개를 열어 준 이가 바로 강준만이었다. 그의 글을 접하면서 정치가 허구한 날 이념 타령이나 해 대는 딱딱한 논리 덩어리가 아니란 사실을 깨달았다.

강준만의 논조는 간명하고 경쾌하다. 음식으로 따지면 기름기와 누린내를 덜어낸 담백한 글쓰기다. 1990년대를 뒤흔들었던 '포스트 강준만 현상'은 진중권, 김규항, 우석훈, 엄기호로 이어지는 전투적 자유주의자를 양산하는 현상을 낳는다. 이른바 '포스트 강준만'들은 강준만에게 적지 않은 빚을 지고 있는 셈이다.

강준만을 포함한 세상의 필자는 일생일대의 대표작이 존재한다. 최고의 종교문학이라 불리는 『만다라』의 김성동, 금서의 대명사인 『악마의 시』의 살만 루시디(Salman

Rushdie), 19금 성애 소설인 『롤리타』의 블라디미르 나보코프(Vladimir Nabokov), 노동자의 궐기를 주장했던 『자본론』의 카를 마르크스(Karl Marx), 미디어의 의인화를 시도했던 『미디어의 이해』의 마셜 매클루언(Marshall McLuhan)에 이르기까지. 문제작은 작가를 만들고, 작가는 다시 제2, 제3의 문제작을 세상에 내놓는다.

그렇다면 강준만의 최고작을 꼽으라면 어떤 책이 적당할까. 아마도 1995년에 세상에 나온 『김대중 죽이기』가 아닐까 싶다. 제목에서부터 분노와 결기가 뿜어져 나오는 이 책은 한국 정치 운동사의 거목이던 김대중에 대한 오마주를 그려낸다. 이후 김대중은 대통령에 당선되고, 강준만은 다시 새로운 정치인을 찾아 나선다. 강준만에게 정치란 무엇인지 궁금해진다. 그는 정치란 감정과 편견을 발산하는 과정인 동시에 이로 인해 생겨나는 결과물이라고 정의한다.

메두사의 외양을 가진 정치 비평은 강준만 이전과 이후로 갈린다. 강준만은 쉽게 읽히는 정치 비평, 재미있는 정치 비평이라는 독창적인 정치 평론에 도전한다. 온갖 미사여구로 도배한 고답적인 정치 비평의 세계는 강준만의 등장 이후 무덤 속으로 사라진다. 강준만의 독주는 『노무현 죽이기』와 함께 킹메이커라는 별명까지 덧붙여진다.

그는 『인물과 사상』이라는 잡지를 직접 발간하면서 글 중독자의 면모를 유감없이 보여 준다. 『인물과 사상』은 아쉽게도 2019년 여름부터 휴간에 들어간다. 그가 출간한 단행본의 숫자가 무려 100권을 훌쩍 넘는다는 사실이 이를 입증한다. 2014년 한 해에만 강준만이 발간한 책은 모두 5권에 달한다. 달라진 점이라면 1990년대를 풍미했던 날카로운 정치적 문제의식보다는 사회 문화 이슈로 우회한 부분이다. 이제는 노회한 필자로서 글 쓰는 즐거움 자체에 몰입하고 싶다는 노장의 속내가 엿보인다.

소개하는 강준만의 책은 『멘토의 시대』다. 그는 21세기를 이끌어 갈 12명의 멘토를 이야기한다. 출간 시점은 2012년. 세월이 흐르고 등장인물의 정치 행보나 활동 범위는 달라졌다. 과거와 현재를 유추해 보면서 그들의 달라진 모습을 조망해 보는 시간을 가져 보자.

다음은 책에 등장하는 멘토에 관한 설명이다. 누구에 대한 설명인지 맞혀 보자. 정답은 인용문을 모두 읽고 나면 바로 등장한다. 설명을 모두 맞히는 독자라면 『멘토의 시대』를 굳이 찾아 읽지 않아도 무방할 것이다. 그는 이미 멘토의 자질을 가진 인물이니까.

"애티튜드는 매우 매력적인 것이긴 하지만, 그것만으로 대통령이 될 수는 없는 법이다. 그의 약점은 무엇일까? (중략) 손석춘은 … 청와대 출입 기자들 얘기를 들어봐도 ○○○은 점잖고 젠틀한 사람이라고 하더라고요. 그런데 우리 시대가 맞닥뜨린 문제를 풀어가는 데 과연 그게 덕목이 될 수 있을

까 싶어요." (85)

문제의 주인공은 대통령 문재인이다. 정치인 문재인, 하면 떠오르는 이미지는 무엇일까. 그를 정치적으로 부정하지 않는 이라면 적어도 그가 '배신하지 않을 것 같다' 또는 '사사로운 욕구에 집착하지 않을 것이다'라는 생각을 가질 테다. 아쉽지만 정치란 믿음과 깨끗함만으로 유지되지 않는 묘한 생명체다. 경쟁자와 중간자 그리고 지지자와의 묘한 조화 속에서 당권을 잡고, 종국에는 대권에 도전하는 과정을 반복해야 한다는 말이다. 따라서 문재인은 권력의 측면에서 해석하자면 기존 정치인과 내용만 다를 뿐 비슷한 목표와 한계를 공유한다.

강준만은 문재인이 가장 먼저 탈피해야 하는 부분을 '친노 이미지'라고 꼬집는다. 이는 지금까지도 노무현 대통령의 비서실장이라는 이미지, 2인자라는 개념에서 벗어나는데 어려움이 있다는 말과 상통한다. 그렇다면 작금의 대통령 문재인이 정국 해결을 위해 시급히 해야 할 일은 무엇일까. 저자는 문재인이 가진 장점, 즉 인격이나 품위라는 요소가 정치판에서 어느 정도의 설득력을 가지는가를 강조한다. 여의치 않다면 자신의 두 번째 승부수를 발견하고 개발해 나갈 것을 충고한다.

"○○○은 순교자형 멘토다. 그는 실제로 순교자적 삶을 살았다. 그에겐 순교자에게 공통적으로 나타나는 고난의 내재화와 더불어 일중독 그리고 무서운 집중력이 있다." (100)

고난의 내재화, 일중독, 무서운 집중력은 승부사의 공통점에 속한다. 설명의 주인공을 대하면서 오로지 사람 좋은 줄만 안다면 큰 코 다친다고 말한다. 두 번째 단락의 주인공은 순교자형 멘토라고 명명한 박원순이다. 그를 추종하는 집단에서는 박원순을 통해 인생이 바뀌었고 세상에 관심을 가지면서 사회 부조리가 얼마나 구조적인 문제인지 깨달았다고 언급한다. 사회 부조리를 자력으로 깨닫는 데에는 시간이 필요하다. 이를 멘토의 힘으로 인식한다면 그리 오랜 시간이 필요치 않다. 말하자면 박원순은 시민운동가이자, 지독한 독서광에, 엄청난 아이디어맨, 철저한 현장주의자인 동시에 실천 최우선주의자이다.

박원순은 영리하지만 외롭게 정치를 하는 인물이다. 지원 세력 만들기에 주력하기보다 스스로 영향력을 극대화하는 데 주력한다는 의미다. 때문에 그와 다른 정치 노선을 걷는 이들은 이미 박원순이 사회운동가로 활동하던 1990년대부터 대통령이 되려는 야망을 품었다고 말한다. 정치를 위해 사회운동이 도구로 폄하되었다는 지적이다. 정치가가 대통령이 되는 과정은 자연스러운 현상으로 받아들이면서, 시민운동가가 대통령이 되기 위한 과정은 한 점 티끌이 없어야 한다는 주장이다. 이는 동전의 양면이 아닐까 싶다. 사람은 한 가지 목적만으로 정치인의 길을 걷지는 않는다. 서울시장 박원순은 오늘도 분주한 일상을 보내고 있다.

> "내가 보기에 많은 사람들이 ○○○에 대해 가장 궁금하게 생각하는 것은 그가 왜 개인적인 시련을 자초할 수도 있는 소셜테이너가 되었는가 하는 점이다." (202)

강준만은 위 소셜테이너를 언급하면서 시골의사 박경철의 변을 인용한다. 박경철은 위 문장에 등장하는 인물의 매력은 인기 연예인이면서 연예인 같지 않은 자세, 대중의 기대를 한 몸에 받으면서도 대중 앞에서 자신을 진심으로 낮출 줄 아는 인성, 어려웠던 과거를 잊지 않고 비슷한 처지에 선 이들에게 따듯한 시선을 보내는 삶의 태도에 있다고 언급한다.

설명의 주인공은 방송인 김제동이다. 그는 스스로를 좌파도 우파도 아닌 기분파라고 설명한다. 뭐 아무려면 어떤가. 김제동 스스로 언급했듯이, 거창한 투사가 되고 싶은 생각은 없을지도 모른다. 그는 스스로 위선적이거나 가식적인 삶을 살고 있지 않은지 점검하고 되새겨 보는 과정을 겪고 있다. 그는 종영한 〈오늘밤 김제동〉이라는 시사 방송을 매개로 상식이 존재하는 세상이 곧 사람 사는 세상이라는 명제에 도전했다.

"○○○는 자유 · 도인형 멘토다. 그의 소설에 조금이라도 빠져본 독자라면 그가 자유로운 도인이라는 데 흔쾌히 동의할 것이다. (중략) 그러나 우리의 도인은 그런 이미지를 보여주면서도 결코 세속을 저버리지 않았기에 범인들의 더욱 큰 사랑을 받는 건지도 모르겠다." (280)

소개하는 인물은 도인형 멘토에 속한다고 강준만은 말한다. 답은 이외수다. 강준만은 한때 이외수의 외모를 매우 마땅찮게 본 대중이 많았으나, 오늘날에는 그의 도인 풍모가 매력을 넘어 마력까지 풍기는 듯하다고 언급한다. 여기서 그치지 않는다. 이외수는 늘 도인의 모습으로만 존재하지 않는다고 첨언한다.

이외수처럼 상황에 따라 울화통을 터뜨리는 성향을 강준만은 자유형 멘토의 특징이라고 정리한다. 이미 눈치챘겠지만, 이외수의 울화통은 비뚤어진 사회 현실에 대한 묵직한 일갈이다. 그에게는 트위터라는 강력한 소통의 도구가 존재한다. 이외수 작가는 원고지 위에서만 유유자적하는 고루한 도인과는 품새를 달리한다.

지금까지 네 가지 문제를 마쳤다. 강준만이 선정한 멘토는 이들 외에도 안철수, 김난도, 공지영, 박경철, 김어준, 한비야, 김영희, 문성근으로 이어진다. 이쯤하면 강준만의 취향을 대충 알음 직하다. 세상은 변한다. 강준만도 변한다. 정치도 느린 걸음이지만 변화의 물결에서 자유롭지 못하다. 그러나 변하지 않는 단 한 가지가 있다. 그것은 바로 아름다운 세상을 향한 멘토의 존재 가치가 아닐까 싶다.

(참고로 이 글에서는 인물 알아맞히기를 위해 인용문에 등장하는 인물의 이름을 ○○○ 처리했음을 알려드린다.)

10. 무균질 이종교배자의 문장

더블 (박민규)

한국문학계에 외계인이 나타났다. 외계인의 고향은 안드로메다, 취미는 록 음악 연주, 좋아하는 음악가는 기타리스트 지미 헨드릭스(Jimi Hendrix)란다. 한때 광고 회사에 다녔던 전력이 있음. 희망 사항은 재활용 쓰레기를 버리러 나갔을 때 누구도 자신을 알아보지 않는 거다. 작가 이외수는 그를 가리켜 '한국 문학계에서 일어난 가장 신선하고 충격적인 사건'이라 정리했다.

장편소설 『지구영웅전설』로 문학동네 신인 작가상 수상, 장편소설 『삼미슈퍼스타즈의 마지막 팬클럽』으로 한겨레 문학상 수상, 단편소설 「누런 강, 배 한 척」으로 이효석 문학상 수상, 단편 「근처」로 황순원 문학상 수상, 단편 「아침의 문」으로 이상 문학상 수상. 외계인의 이름은 박민규다.

지금도 장편소설 『삼미슈퍼스타즈의 마지막 팬클럽』을

읽었을 때의 감동이 잊히지 않는다. 그야말로 9회 말 투아웃에 터지는 역전 결승타였다. 박민규가 무림천하를 호령하는 상황이 임박했다고 환호작약할 필요조차 없었다. 그는 20세기 한국 소설의 진중함과 21세기 한국 소설의 신선함을 모두 잉태한 작가라는 극찬을 받을 만한 작품을 쏟아 낸다. 예상대로 수많은 문학 애호가가 재기 넘치는 작가의 등장에 환호했으며 차기작이 나오기만을 손꼽아 기다렸다.

그의 소설은 만화적 상상력, 기승전결식 소설 방식을 타파한 구성, 카톡 메시지를 방불케 하는 구어체 언어 감각, 속도감 넘치는 사건의 전개가 넘실댄다. 소설 제목 또한 범상치 않다. 「고마워 과연 너구리야」, 「아 하세요 펠리컨」, 「그렇습니까? 기린입니다」, 「대왕오징어의 기습」, 「헤드락」, 「몰라몰라 개복치라니」, 「끝까지 이럴래?」, 「축구도 잘해요」, 「딜도가 우리 가정을 지켜줬어요」에 이르기까지 필사의 유혹이 넘실대는 문장이 가득한 글 덩어리가 바로 박민규표 소설이다.

> "어떻게든 오늘은 제플린을 찾아야 한다. 기우뚱 또 고도가 떨어진 제플린을 보며 나는 다짐했다. 제플린을 찾으면 좋아지겠지, 변리사가 되면 모든 게 좋아지겠지." (Side A, 105)

그런 박민규가 2010년 두 번째 소설집을 냈다. 이름하여 『더블』이다. 소설집 『카스테라』에 이은 중단편 소설 보따리를 펴낸 거다. '어라, 제목이 뭐 이래. 박스에 책 두 권을 넣었다고 더블인가' 라며 후기를 읽어 보니 수긍이 가더라. 1980년대를 끝으로 내리막길을 걸었던 LP 전성시대에나 보았던 더블 음반에 대한 로망이란다. 역시나 박민규스럽다. 윗글은 단편 「굿바이, 제플린」에 나오는 문장이다. 여기서 제플린이란 잡을까 말까, 하다 놓쳐 버린 현대인의 꿈을 의미한다.

"마치 바람이라도 피우는 기분으로 1968년 어느날 한국에서 태어나게 되었다. 전생의 입장에서 본다면 과연 달팽이와 같은 느낌이었지만 — 이 수수한 삶이 그래서 얼마나 소중한가를 잘 알고 있었다." (Side A, 247)

작가의 자전소설이란다. 제목하여 「축구도 잘해요」. 자전소설 치고 등장인물이 꽤나 많다. 단편소설과는 어울리지 않는 설정이다. 그렇다. 기껏해야 5명 전후로 등장인물을 압축해야 무난하게 단편소설이 만들어진다고 배웠건만, 박민규는 이런 문법에 연연하지 않는다. 그래서 재미있다. 도대체 누가 등장하냐고. 놀라지들 마시라.

배우 마릴린 먼로(Marilyn Monroe), 작가 아서 밀러(Arthur Miller), 야구 선수 조 디마지오(Joe DiMaggio), 영화감독 하워드 혹스(Howard Hawks), 시인 아르튀르 랭보(Arthur

Rimbaud), 빅토르 위고(Victor Hugo), 정치경제학자 애덤 스미스(Adam Smith), 팝스타 마이클 잭슨(Michael Jackson), 축구 선수 디에고 마라도나(Diego Maradona), 문학평론가 김현까지가 이 단편소설에 등장한다.

> "혼자서 사는 게 쉬운 일이 아니었다. 끼니를 해결하는 것도, 어떤 고지서를 어떻게 처리하고... 세탁기를 사용하거나 청소를 하고... 가스검침원에게 어떤 숫자를 불러줘야 하는 지도... 알 수 없었다. 그리고, 외로웠다." (Side B, 11)

만화적 상상력의 결과물이 박민규의 초기 작품의 공통점이라면, 중반기 이후 박민규의 소설은 사실주의로 변화를 시도하는 과정을 보여 준다. 소개하는 중편소설 「낮잠」이 달라진 박민규의 세계관을 보여 주는 작품이다.

소설의 주인공은 회사를 그만둔 66세의 노인이다. 그의 일상은 더없이 권태롭다. 그는 3년 전에 요양원에 들어온 신세다. 부질없는 생각에, 부질없이 평생을 살고, 부질없이 죽음을 기다리는 게 노인의 일상이다. 박민규는 끊임없이 독자에게, 자신에게 화살표를 나눠 준다. 우리의 삶이란 무엇일까. 스스로를 위해서 아무것도 할 수 없는 삶이란 무엇일까. 그 무엇을 위해서 상처를 주고 상처를 받는 삶이란 도대체 무엇일까. 박민규는 더 이상 독자의 웃음을 자극하려 들지 않는다.

"진짜 비극이 어떤 건지 당신은 모른다. 삼년 전부터 좆은 안 서고, 일년 가까이 돈도 못 벌고 회사에서는 팽(烹)... 정신을 차려보니 마누라의 서랍 속엔 딜도가... 말하자면 그런 건 비극의 미끄덩한 껍데기에 불과하다. 비극의 진짜 알맹이는 작은 살구씨처럼 그 속에 숨어 있다. 그 중심에. 작지만 아주 단단한 모습으로..." (Side B, 194)

박민규의 글을 읽다 보면 정신 줄을 놓게 만드는 언어 감각이 압권이다. 마치 세종대왕이 만들어 놓은 한글을 뿌리째 바꿔 보겠다는 실험주의 작가의 원맨쇼를 보는 듯하다. 그렇다고 그의 글이 경량급 복서의 잽처럼 가볍다고 말할 수 없다. 왜냐하면 그는 21세기 한국문학계를 이끌어 갈 작가이니까.

과연 소설이란 어떤 글을 지향해야 하는가. 수천 권의 소설책을 읽었음에도 이런 의문은 가시지 않는다. 왜냐하면 대한민국에는 박민규라는 어마무시한 작가가 존재하니까.

단편 「딜도가 우리 가정을 지켜줬어요」에 등장하는 주인공은 여타 소설에서처럼 철저하게 무기력하다. 상고 출신, 담당 업무는 영업, 발기 불능에 1년째 수입은 전무한 상태다. 게다가 한 가정의 가장이란다. 박민규의 담담한 시선은 늘 사회적 외톨이를 응시한다. 그들은 조금은 외롭지만 그렇다고 시시한 삶을 마지막 순간까지 반복하지도 않는다. 작가는 주인공의 삶을 파헤치지 않고 적당한 거리에서 관조한다.

> "인생이란 무엇인가. 이러니저러니 말은 많아도 그러나 내겐 먹여살려야 할 가족이 있다! 즉 인생은... 말짱 도루묵임을 뻔히 알면서도 위험을 무릅쓰는... 낭만꾸러기들의 소심한 핵실험이 아니던가. 그외에 뭘 더 바라겠는가. 더 욕심을 낸다면, 그건 바로 욕심꾸러기." (Side B, 216)

소설 후반부에 등장하는 외계인은 또 뭔가. 욕심꾸러기는 소설 속의 주인공이 아닌 작가 박민규다. 그는 끊임없이 독자의 기대를 무너뜨리고, 다시 끊임없이 독자에게 다시 일어서라고 귓속말을 해 댄다. 포기와 체념의 미학이란 이런 거다. 작가는 일상에 지친 주인공들을 추슬러 그래도 살아 있다는 사실에 가끔은 심호흡을 해보라고 추파를 던진다.

이제는 박민규에 대한 개인적인 욕심을 말할 차례다. 중견 작가 박민규는 창작 인생의 중반부에 서 있다. 신인 작가 시절 받았던 문단의 엄청난 기대와 환호에도 박민규는 조용히 자기 갈 길을 걸어갔다. 전설적인 멕시코 레슬러의 가면을 뒤집어쓰고, 때로는 전자기타를 둘러매고, 또는 지미 헨드릭스의 헤어스타일을 흉내 내고, 그것도 아니라면 커다란 물안경을 뒤집어쓴 채로 말이다.

박민규의 소설적 실험은 오늘도 진행 중이다. 다른 작가처럼 소설 이외의 장르에 눈길을 돌리지도 않는다. 뭐 돌린다 해도 크게 상관없지만 말이다. 분명한 사실은 박민규는 나와는 다른 행성에 거주하는 작가라는 부분이다.

그런 박민규가 2015년 무겁게 입을 열었다. 『월간중앙』 9월호를 빌어 자신의 작품 『삼미슈퍼스타즈의 마지막 팬클럽』과 「낮잠」이 표절이었다고 실토했다. 그는 소설이란 인간이 쓰는 것이고 누구도 자신의 양심과 기억을 장담할 수 없다는 말을 덧붙인다. 그의 표절 발언만으로는 문장을 통째로 인용하는 다른 사례와는 거리가 한참 멀다는 생각이 들었다. 어쨌든 박민규는 표절 작가라는 독배를 받아들인다.

소설 창작이란 세상 어떤 글쓰기보다 어렵고 지난한 작업이라는 사실까지도 수긍한다. 무균질 이종교배자의 세 번째 문학적 변신은 누구도 예상하지 못한 결과물을 낳을지도 모른다는 사실까지 포함해서 말이다. 나는 소설가 박민규의 마지막 팬클럽이다.

제2장

내려놓는 삶에 관하여

11. 관습과 금기의 벽을 넘어서

깊은 마음의 생태학 (김우창)

시간이 갈수록 분량이 많은 책이 팔리지 않는다. 책 편집에 따라 차이가 있다지만 400페이지가 넘는 분량이 예가 되겠다.

강주헌의 저서 『기획에는 국경이 없다』 30페이지를 살펴보자. 여기에는 베스트셀러의 네 가지 조건이 등장한다. 저자가 노엄 촘스키(Noam Chomsky)처럼 유명한 사람일 것, 책의 내용이 대중적이고 쉬워야 할 것, 처음부터 끝까지 알찬 내용을 갖출 것, 마지막으로 두껍지 않을 것. 다시 정리해 보자면, 명성, 대중성, 분량이다. 당연히 그런 책은 대한민국에 별로 존재하지 않는다.

하긴, 종이 책 말고도 재미있고 자극적인 매체가 차고 널렸는데 하필이면 두꺼운 책이라니. 그것도 400페이지가 훌쩍 넘는 난해한 인문서라면 불황에 허덕이는 출판 시장에 시한폭탄을 움켜쥐고 뛰어드는 격이다. 그럼에도 적지 않은 출판사들이 소신을 가지고 묵직한 인문서를 제작한다. 정말이지 다행스럽고 고마운 일이다. 그들 덕분에 대한민국은 작은 미래가 남아 있다.

지식이 깊어지면 글쓰기의 폭 또한 넓어진다고 했던가. 소개하는 김우창 역시 예외가 아니다. 그는 영문학자, 문명 비평가, 문화사가, 문학 이론가, 평론가, 철학자라는 지식인의 자격으로 가능한 글쓰기에 도전한다. 1970년대부터 이어진 '김우창식 글쓰기'는 인문서뿐 아니라 번역서에 이르기까지 그 끝을 알 수 없을 정도로 방대한 영역을 보여 준다.

책을 선정하는 데 가장 고민이 많았던 인물이 바로 김우창이다. 책 제목이 범상치 않다. 제목하여 『깊은 마음의 생태학』이다. 인문학에 경도된 이들이 두려워하는 자연과학적인 색채가 짙다. '혹시 김우창의 지식 세계가 생태학으로 이동했단 말인가'라는 궁금증이 들 법도 하다. 머리글에서 제목에 대한 저자의 변이 나온다. 다음은 김우창의 변이다.

> "모든 것이 인간 존재의 근본적 존재 방식에 관계된다고 할 때, 이성은 객관적인 것을 지향하면서도 주관적인 것을 못 벗어나는 인간의 지적 능력으로는 완전히 포착되지 않는다." (56)

오늘날 인간이 부딪치는 생태 문제를 단순히 기후변화나 자연 자원의 문제, 즉 인간의 이해관계의 관점에서 중요한 문제라고 보는 공리적 입장에 대해 그것이 인간의 존재론적 뿌리에 대한 의식에 관계된 것이라는 저자의 사유를 첨언해 본다. '깊은'이라는 형용사는 생태학이 아닌 '마음'이라는 인간적 상황에 반응하도록 위치한다. 여전히 김우창의 시선은 자연과 현상을 넘어 인간이라는 영역에 뿌리를 두고 있다는 대목이다.

『깊은 마음의 생태학』의 첫 장은 '확신과 성찰'이라는 소제목으로 시작한다. 김우창은 세계의 로고스, 이성, 형상성, 이념성에 대한 맹신을 경계한다. 이러한 과학적 사고의 대표물로 존재하는 이성이란 인간과 결합할 때 가공이라는 절충적 과정을 피할 수 없다. 결국 논리적 구성의 우연성을 넘어설 수 없는 과학의 이성에 대한 보다 원초적인 정의는 인간 실존에 일어나는 이성의 사건이라고 저자는 말한다.

김우창은 피아노 연주를 예로 인간의 의식을 설명한다. 연주라는 행위 속에는 또 하나의 의식이 존재한다. 그 의식은 앞으로도 나아가고, 뒤도 돌아보면서, 음악 전체를 하나의 통일로 형성해 간다. 이러한 과정에서 피아니스트를 둘러싼 삶에 하나의 통일성을 부여한다. 결국 인간의 의식적 행동에는 실존과 관련한 의도가 내재되어 있다는 부차적인 해석이 가능하다.

저자는 피아노 연주처럼 숙달된 수행의 자유는 삶의 가장 높은 표현 중 하나라고 설명한다. 인간 의식과 동떨어진 자연과학의 절대성이란 김우창식 해석에 의하면 존재 불가능한 허상일 뿐이다. 김우창은 그렇게 과학적 기반 위에 존재하는 인간의 마음을 주목한다. 형이상학과 형이하학 간의 이원론적인 경계를 무너뜨리자는 저자의 목소리가 들리는 듯하다.

> "과학이 다른 학문에 주는 영향 가운데 핵심적인 것 중의 하나는 그것이 시사하는 인간의 이미지이다. 인문과학의 많은 성찰 밑에 들어 있는 것은 인간이란 무엇인가 하는 질문이다." (298)

그가 응시하는 과학기술 문명의 이미지는 이과적 사고를 부르짖는 다치바나 다카시와는 궤적을 달리한다. 다치바나 다카시는 인문적 사고에 빠진 지식인의 학문적 영양결핍 현상을 집요하게 비판한다. 그는 문과적 두뇌와 이과적 두뇌의 적절한 개발이 지식인의 필수 조건이라고 말한다. 반면 김우창은 과학기술이 거둔 커다란 성공은 인간 자신을 조종할 수 있는 대상으로 생각하게 하는 경향을 가능케 했다는 부분 정도라고 말한다. 결국 과학기술이란 물건과 세계를 조종의 대상으로 보게 하는 일종의 중계 수단이다.

여기까지는 과학에 대한 다치바나 다카시와 일견 같은 해석으로 인식되는 부분이다. 하지만 김우창은 이러한 자연과학적 방법론이 결국은 인간을 이해하는 수단의 일부분이라 해석한다. 과학이라는 장르에서 과대평가하는 확실성이란 인문학적 사고에서는 비판의 여지를 남긴다. 하지만 과학이 시사하는 인간관은 방법론적 구속으로 인해 인류에게 직관적으로 주어지는 인간 이해로부터 비껴 나간다는 문제점을 지닌다.

이러한 김우창식 과학관은 인간의 무한성과 해석 불가능한 영역에 대한 한계성을 지니고 있음이 분명하다. 따라서 자연과학 역시 인간에 대한 전제가 보장되지 않고는 접근과 해석이 불가능한 학문 영역에 지나지 않는다.

> "모든 것을 인물 중심으로 접근하는 일의 문제점은 그것이 우리의 의식 내용을 피상적인 것이 되게 하는 경향이 있다는 것이다. 그것은 우리로 하여금 사물의 객관적 성격을 잘못 짚게 하고 우리의 판단을 흐리게 한다." (495)

김우창은 미디어 매체에 등장하는 유명인의 기사를 예로 인물 중심의 접근 방법의 맹점을 해석한다. 이는 인간의 의식을 피상적인 존재로 추락시키는 요소다. 그렇다면 김우창이 보는 성공의 의미란 무엇일까. 그것은 오늘의 사회에서 군중의 익명성으로부터 벗어나 개체적 존재로서의 힘을 다른 사람에게 인정받는 것이다. 이는 유명 인사가 된다는 것, 대중매체에 의해 알려진다는 것의 일종의 실현이다. 그는 어떤 사유로 유명해지는가가 중요한 부분이 아니라 유명함 자체에 함몰해 버린 목적 일변도의 위험성을 주시한다.

마지막 부분에서 김우창은 인간의 가족과 친척에 대한 무지를 예로 든다. 부모와 자식의 관계는 시간과 거리와 환경으로부터 무지라는 종속변수에 영향을 받는다. 물리적으로 부모의 곁을 떠난 자식은 부모 자식 간의 체험으로부터 멀어질 수밖에 없다. 게다가 부모는 아이들의 내면 깊은 체험 자체를 몰랐을 가능성이 높다. 이는 가족이라는 공간 공동체에 대한 세간의 고정관념과 정면으로 배치되는 해석이다.

인간을 안다는 것. 이는 사회의 기구나 현실적인 일의 테두리 안에서의 이해에 불과하다고 저자는 분석한다. 공감한다. 사람을 안다는 것은 역으로 구체적인 인간 현상에 대한 몰이해를 근거로 주장하는 허언에 불과하다. 저자는 과학적 사회 분석에 입각한 인간 이해 또한 근본적인 해결책이 아니라고 설명한다. 결국 우리가 인지하는 세상 너머의 세상에 대한 중의적 접근이 가능할 때, 진정한 깊은 마음의 생태학이 가능할 것이다. 인문학의 거장은 표면적인 이해관계 속에 감추어진 변수에 주목한다.

반면, 김우창의 지식관에 현실 참여적인 요소가 결여되

었다는 비판이 존재한다. 그의 방대한 저작물에서 드러나는 소극적인 역사관을 지적하는 목소리도 존재한다. 동서양이라는 구시대적 구분 짓기를 이론의 틀에 맞춰 적용하려는 그의 사고가 한편으로는 아쉽기도 하다. 사회참여보다는 학자로서의 길에 무게를 두었던 노교수의 연구 인생을 반증하는 부분이다. 그를 능가하는 젊고 패기만만한 인문학자의 탄생을 기다려 본다.

12. 우리 시대 마지막 지성의 속삭임

대화 (리영희, 임헌영)

2014년의 늦은 가을이었다. 지금은 작가주의 영화 상영을 중단한 서울 아트선재센타에서 진중권의 강의를 들을 기회가 있었다. 강의를 마치고 방청객에게 질문 시간이 주어졌다. 나는 진중권이 생각하는 지식인의 모습에 대해 설명해 달라는 질문을 던졌다. 진중권의 답변은 간단명료했다. 한국의 지식인은 리영희 이후 존재하지 않는다는 견해였다. 그의 간결한 답변은 정확히 여기까지였다. 부연 설명은 없었다.

진중권이 말하는, 전환 시대의 지식인의 반열에 우뚝 서 있는 리영희를 소개한다. 요즘이야 그가 완성한 『전환시대의 논리』(1974), 『우상과 이성』(1977)의 가치와 의미를 기억하는 이가 많지 않을 것이다. 하지만 1970년대만 해도 리영희는 한국을 대표하는 현실 참여형 논객이었다. 그것도 군부독재가 판을 치는 유신 만능 시대에 정치적 자유를 위해 붓을 움켜잡기란 결코 만만한 일이 아니었다.

리영희가 누구인가. 1929년 평안북도 운산군 북진면에서 탄생. 한국해양대학 졸업 후 경북 안동중학교 영어 교사로 근무 중 6.25 전쟁 발발. 1957년까지 7년간 군 복무. 이후 합동통신 외신부 기자와 조선일보 외신부장(그는 조선일보사에 근무하면서 '북괴'를 '북한'으로 수정하여 표기함) 역임. 1960년 미국 노스웨스턴 대학교 신문대학원 연수. 1972년부터 한양대 문리대 교수 겸 중국문제연구소 연구교수로 재직 중 박정희 정권에 의해 해직. 1980년 복직되었으나 전두환 정권에 의해 다시 해직. 이후 일본 동경대학교 및 독일 하이델베르크 사회과학연구소 연구원 역임, 미국 버클리대학교 정식 부교수로 초빙, 한양대 언론정보대학원 대우교수 역임. 2010년 지병으로 타계.

『대화: 한 지식인의 삶과 사상』은 대화 형식으로 서술한 리영희 자신의 회고록이다. 이를 대화 형식으로 풀어낸 까닭은 개인사적 사실과 삶의 방식에 대한 의미와 가치를 질문자와의 비판적 토론 방식으로 다루었기 때문이리라. 책 서두에서 나오듯이, 그간의 국내 상황과 시대정신, 20세기 인류사적 격동의 의미와 가치를 리영희적 세계관의 모색과 더불어 비판적으로 평가하는 사상사적 담론 위주로 펼쳐 낸다. 이제부터 단절과 억압이라는 극단적 시대 상황 속에서 살아야 했던 참 언론인이자 지식인의 모습을 살펴보자.

"나는 어렸을 때 자라나면서 어떤 집단 속에서든 늘 불편함을 느꼈고, 단체적 행동양식에 동화되는 데 아주 어려움을 느꼈어. 그후 대학생활에서도 그랬고 군대생활에서는 더욱 그랬어요." (163)

리영희는 자신의 20대를 정신적 갈등의 시기라 표현한다. 그는 스스로를 반전 평화주의자라 칭한다. 그런 리영희가 무려 7년이라는 세월을 전쟁터에서 보냈다는 사실이 시선을 붙잡는다. 냉전 시대의 부산물인 6.25 전쟁은 지식인이 감당해야 할 비극적이고 폭력적인 사건이었다.

그는 자신이 속한 집단이 고결한 가치 의식이나 존재의 의미, 이념과 목적을 갖지 않고 오로지 힘의 논리를 앞세울수록 동화될 수 없었다고 토로한다. 이는 같은 환경 속에서 같은 역사적 체험과 인간적 삶을 경험하면서도 결과로 나타나는 개인의 반응 양식은 천차만별이라는 해석으로 귀결된다. 이 비대칭적인 현상이 바로 개인의 주체적 의식의 문제라고 리영희는 말한다.

그는 6.25 전쟁 기간 동안 대한민국 육군의 통역 장교라는 직책을 맡는다. 그렇다면 리영희에게 전쟁이란, 군대란, 군인이란 어떤 의미였을까. 그는 인격이 부여되지 않는 군인이란 비주체적이고, 비자율적이며, 비실존적인 존재라고 정의한다. 폭력 일변도로 만들어진 군대 문화에 대한 성찰이다. 더욱이 그가 담당했던 통역 장교란 개인의 지식수준이나 문화생활의 배경이나 개인적 자존심과 무관하게 부대 지휘관과 외국인 고문관 사이에서 언어 소통의 수단 이상도 이하도 아니었다.

> "나는 이때 한국사회 자본주의의 반인간성에 대한 감각이 예리하게 촉발되어 있던 단계였기 때문에, 일본어를 해득하는 일제 시대의 조선인 지식인들이 사회비평과 사회개혁을 위해서는 반드시 그 출발점에서 읽고 넘어가야 했던 책부터 시작했어." (375)

대다수의 지식인처럼 리영희의 지적 세계의 발판은 엄청난 독서로부터 세워진다. 그는 35세에서 40대 중반 무렵까지 다방면에 걸친 독서광으로 거듭난다. 리영희식 독서법은 크게 세 가지로 분류가 가능하다. 첫째는 리영희가 지향하는 사회 개혁적 이념을 위한 철학, 사상, 이론 분야의 독서. 둘째는 자본주의의 본질과 현실에 관한 다양한 주체의 현실 분석적인 독서. 마지막은 이와 같은 이념 지향적이고 사회변혁적인 세계관을 위해서 필요한 광범위한 주제의 높은 사상 교양 독서다. 설명만 들어도 가슴이 벅차오르는 지식인의 독서법이다.

그는 자신이 섭렵한 명저 중에서 토머스 모어(Thomas More)의 『유토피아』를 이야기한다. 이는 지난 500년 동안 세상의 독자에게 인간이 지향해야 할 행복한 삶의 원형이라는 영감을 준 작품이다. 『유토피아』는 진정한 인간의 행복과 그것을 구체화한 사회구조, 다시 말해서 인류의 현재의 생존 양식에 대한 반성과 문제 제기를 던진 작품이라고 리영희는 설명한다.

그 외 레온 트로츠키(Leon Trotskij), 카를 마르크스, 프리드리히 엥겔스(Friedrich Engels), 로자 룩셈부르크(Rosa Luxemburg) 등의 저서를 비롯하여 미국 경제학자들인 폴 새뮤얼슨(Paul Anthony Samuelson), 밀턴 프리드먼(Milton Friedman), 존 홉슨(John Hobson), 존 갤브레이스(John Galbraith) 등의 이론과 사상을 광범위하게 학습한다.

당시 리영희의 관심은 한 가지였다. 어떻게 하면 모든 사람이 경제적으로나 사회적으로 평등할 수 있으며, 착취하는 자와 착취당하는 자의 구분이 없는 공평한 물질적 생존을 영위할 수 있는가에 대한 관심이었다. 인간적으로나 정신적으로 보다 정의롭고 공정한 삶을 누릴 수 있는 방법의 모색이 그것이었다. 참여형 지식인이 겪을 수밖에 없는 관심과 고민의 흔적이다.

> "나는 나의 지적 · 정신적 · 사상적 행위의 결과가 어떤 그런 큰 영향을 미칠 만큼의 수준과 내용이냐 하는 점에 대해서 항상 비판적이려고 해요." (465)

70대 중반의 지식인의 대화치고는 무척이나 겸양스러

운 표현이다. 리영희는 자신의 식견이 늘 부족하다는 생각에서 저술을 시작했다고 말한다. 놀랄 만한 사실은 리영희 자신마저도 초기작 『전환시대의 논리』, 『8억인과의 대화』, 『베트남 전쟁』, 『우상과 이성』이 그렇게 큰 영향을 미치고 있다는 사실을 몰랐다는 대목이다. 그는 자신의 지적 활동과 실천의 결과가 한국 사회에 큰 감화를 미치거나 영향을 미치리라고 생각해 본 적이 없었다고 소회한다.

여기에서 놀랄 만한 사실 하나를 더 추가해 본다. 1980년대 초반 중앙정보부에서 한국 학생운동의 사상적 맥락을 다룬 연구 책자를 만든다. 그런데 이 중에서 무려 3권이 리영희의 저서였다. 권력 집단에서는 인간 리영희를 의식화의 원흉이라 매도했다. 리영희의 책을 읽어 보지도 않고, 오로지 공안 정부의 목소리에 귀를 기울였던 시민이 적지 않았던 어둠의 세월이었다.

그는 광주민주항쟁 뒤에 대중 의식이 급진전했으며, 국민 생활과 민족문제의 국가적 위기를 포함한 사회적 부조리 전반에 대한 지식인, 청년, 대학생, 노동자의 문제의식과 인식 능력의 수준이 자신을 뛰어넘을 만큼 성장했다고 목소리를 낮춘다. '족한 줄을 알면 위태롭지 않다'는 성현의 가르침을 몸소 실천하는 지식인. 그가 바로 대한민국의 자랑스러운 지성 리영희이다.

진중권의 말처럼, 대한민국의 지식인은 리영희를 끝으로 종적을 감추었을까. 지식인이 존재하지 않는 사회를 상상해 보라. 이러한 사회는 독재 권력이 조장하는 차별과 억압의 그물에서 빠져나올 수 없다. 일반인이 체득하지 못하는 권력의 그늘을 파헤치고, 그늘의 배경과 부작용을 공유하며, 궁극적으로는 사회변혁을 추구하는 과업이 참된 지식인의 의무이자 책임이다. 지식인의 종말을 말하던 진중권의 냉소가 기우에 지나지 않는다는 사실을 증명해 줄 제2, 제3의 리영희의 탄생이 아쉬운 시대이다.

13. 인문 중독자의 정원

예술인간의 탄생 (조정환)

글쓰기에도 흐름과 박자가 있다. '복문 뒤에는 단문이, 무거운 글 다음에는 가벼운 글이, 인용문 뒤에는 저자의 사유가 등장하는 흐름이 필요하다'라고 쓰지만, 말처럼 쉽지 않다. 그런 쉽지 않은 글쓰기에 도전하는 작가가 세상에는 적지 않게 존재한다. 소개하는 조정환은 흐름과 박자와는 무관한 일종의 진중한 글쓰기의 우물에 빠진 인문학자다.

홍대에 살면서 좋은 점은 음악 카페가 즐비하다는 이유가 전부는 아니다. 지금은 빛이 바랬지만 창조 지구의 기운이 남아 있다는 점, 매주 유명 저자의 북 콘서트에 참여할 수 있다는 점, 다양한 음악 공연장이 포진하고 있다는 점, 부지런히 신간 도서를 비치하는 괜찮은 도서관이 있다는 점, 마지막으로 홍익대학교와 신촌 안산의 선선한 공기와 풍경을 누릴 수 있다는 점이다.

문제작 『예술인간의 탄생』의 물성을 떠올리자면, 이는 명품 인문서에 해당한다. 일단 고급스러운 양장본에 실로 꿰매는 사철 방식으로 제작하여 보관 가치가 높다. 책 표지는 좋아하는 미술가 파울 클레(Paul Klee)의 작품이 등장한다. 게다가 제목이 '예술인간의 탄생'이라니, 이 얼마나 인문스러운 향기가 넘실대는 저술서인가. 이쯤에서 저자의 약력이 궁금해진다. 초야에 묻혀 글 쓰고 공부만 하는 인물이라고 치부하기에는 조정환의 경력이 너무나도 화려하다.

1965년 경남 진양 출생, 서울대 국문학과 박사과정에서 프롤레타리아 문학 연구, 1980년대 초부터 〈민중미학연구회〉, 〈문학예술연구소〉에서 민중 미학을 공부, 대학에서 한국 근대 비평사 강의, 문학 운동의 주류였던 민족 문학론에 맞서 '노동 해방 문학론'을 제창하여 1990년대 문학 운동에 새로운 방향성을 제시, 1999년 말까지 국가보안법 위반으로 9년간에 걸친 수배 생활, '이원영'이라는 필명으로 번역서 출간, 수배 해제 후 월간 『말』에 문화 시평 연재, 현재 인문 동아리 다중지성의 정원 대표 겸 상임 강사, 도서풀판 갈무리 대표. 『플럭서스 예술혁명』 외 20여 권 출간 등에 이른다.

2014년 겨울이었다. 마포구 서교동 골목에 위치한 '다중지성의 정원'을 방문했다. 이유는 『예술인간의 탄생』 북 콘서트에 참여하기 위해서였다. 조정환 작가를 만나기 위해 모인 30여 명의 형형한 눈빛은 마치 수도자를 방불케 했다. 드디어 저자가 등장했다. 그의 모습은 견고하다 못해 겨울의 한기를 물리치고도 남을 정도로 강렬했다. 어투는 느리면서 신중했다. 격변의 1980년대를 온몸으로 버텨낸 자의 당당함과 인내의 흔적이 칡뿌리처럼 묻어 나왔다. 나는 그렇게 책 『예술인간의 탄생』과 조우했다.

> "제도화된 주류예술은, 자기인식의 테크놀로지처럼, 구경꾼 · 관람객 · 독자 등에게 보여 주기 위한 작품을 생산하는 예술양식을 구축해 왔다." (48)

예술에는 두 가지 얼굴이 존재한다. 보여 주기 위한 얼굴과 스스로가 원하는 얼굴이 그것이다. 예술이 단지 팔아먹고 자랑하기 위한 소비와 허장성세의 수단으로 변질되는 순간, 예술가는 자신이 생산한 작품의 중심에서 소외되기 마련이다. 저자에 의하면, 이러한 과정은 분업화한 상품 사회에서 예술가 자신의 영감의 원천이 되며, 예술 에너지의 보급소가 되는 사회적 삶으로부터 멀어지는 과정이다.

예술의 상품화를 당연시하는 21세기에 예술의 본원적인 모습을 파헤치는 저자의 글 매듭은 잘 짜인 그물처럼 촘촘하고 탄탄하다. 예술이란 여타 공산품처럼 결과의 산물에 속하지 않는다. 저자의 상상력과, 시대적 조류와, 예술

창조의 과정을 수반하는 일종의 종합 선물 세트가 예술이다. 이러한 본원적 예술 사회에 사망신고를 고한 사건이 있었으니, 약방의 감초처럼 등장하는 신자유주의의 도래이다.

> "예술의 산업화와 노동화, 그리고 예술가의 기업가화가 전통적 예술형식들, 예술장르들, 예술체제들의 해체를 가져오는 것은 필연적이다. 이것은 동시에 예술종말의 미학을 증가시킨다. 예술종말론은 결코 최근의 현상만은 아니다." (65)

자유 시장 경제의 무한 번식을 찬양하는 신자유주의는 노동자의 정체성을 부정하는 마수를 지닌 물신주의의 결과물이다. 예술이라고 예외가 아니었다. 저자는 이러한 부작용을 '산업적 예술의 증대'라 표현한다. 이는 예술가를 산업의 전위부대로 이용하려는 일종의 퇴행 현상이다. 즉, 국가와 자본은 가난한 예술가를 도심의 낡은 지대로 불러들인 후 그들의 예술적인 능력을 발휘하도록 유도하지만, 종국에는 예술가의 활동 성과가 주변 지역의 지가 상승이 일어나는 시점에서 이를 상업 지구로 특화하여 지대 차익을 취한다는 내용이다. 여기 등장하는 상업 지구가 바로 뉴욕과 홍대이다.

> "예술의 죽음은 그래서 늘 선언되지만 부단히 다시 연기되

는 과정으로 남는다. 이 과정에서 예술 생산물들은 유토피아, 키치, 침묵 등의 서로 다른 모습으로 나타나고 이들이 벌이는 일종의 내적 유희를 통해 예술은 지속적인 삶을 이어간다." (138)

20세기 기술 진보와 대중화의 물결 속에서 알랭 바디우(Alain Badiou), 아서 단토(Arthur Danto)를 포함한 수많은 지식인이 예술의 종말을 고한다. 여기에서 종말이란 예술의 중단을 말하지는 않는다. 이는 실존의 심미화를 추구하는 진정한 예술에 대한 미적 기능의 상실을 의미한다. 예술의 종말의 해석에 있어서 저자는 프리드리히 니체(Friedrich Nietzsche)와 하이데거(Heidegger)의 이론을 빌려 온다. 두 철학자가 주장하는 '존재'의 의미처럼 예술이란 탄생과 죽음을 반복하면서 새롭게 떠오르는 형태라고 말한다. 이러한 예술 종말론은 예술 진화론으로 전환되는 일종의 계기로서의 의미를 지닌다.

"인터넷의 대중화, 네트워크 문화의 증대, 집단지성 그 자체의 생산 주체화, 여가문화의 산업화 등은 예술 생산과 전시에 관계적 접근을 강화하도록 만든다." (204)

산업과 예술 간의 이종교배 현상은 미디어 전성시대의 자연스러운 현상이다. 조정환은 현대 산업사회의 예술 생산은 일종의 산업 생산 모델로 활용된다고 주장한다. 예술 종말론에 대한 거부를 통해 나타난 예술 진화론은 경제와 예술, 예술과 삶, 삶과 정치 사이의 전통적 경계 소멸을 가져오는 다중의 출현에 의거한다고 설명한다. 이는 바로 '누구나가 예술가인 시대'라는 표현으로 정리 가능하다.

휴대폰을 중심으로 펼쳐지는 미디어의 발전은 예술가의 조건까지 변형시킨다. 언급한 대로 미디어 매체를 활용한 전국구 예술가가 등장하는 시대이다. 오로지 예술 작품에만 집중하던 시대는 무대 뒤로 사라졌다. 이제는 창작과 마케팅을 병행할 능력이 떨어지는 예술가는 시장에서 인정받지 못한다. 스스로가 광고인의 기질과 능력까지 겸비해야 예술 자본의 시장에서 살아남는다. 결국 자본주의 국가의 예술이란 상품화를 전제로 한 생산과 판매라는 악순환에서 자유롭지 못하다.

『예술인간의 탄생』은 폼생폼사의 기분으로 접하려 했던 독서가에게는 부담스러운 책이다. 게다가 푸코(Foucault), 데리다(Derrida), 니체, 들뢰즈(Deleuze), 마르크스에 대한 기본적인 식견이 전무한 상태에서 책을 집어 들었다가는 낭패를 보기 십상이다. 하지만 악전고투 끝에 『예술인간의 탄생』 378페이지를 넘기는 순간, 밀물처럼 다가오는 희열은 대체 불가능한 지적 체험이라 확신한다. 저자의 치열한 인문 정신에 뜨거운 박수를 보낸다.

14. 잘 짜인 인생의 알리바이

바셀린 붓다 (정영문)

한겨레문화센터 소설 창작반에서 강의를 들은 적이 있다. 당시 소설가로 활동하던 박성원 작가는 '소설에는 자기 고백적인 작품과 그렇지 않은 작품이 존재한다'라고 언급했다. 작가가 실제로 어디에서 무엇을 했는지를 인공위성보다 세밀하게 보여 주는 소설이 자기 고백적인 소설이라는 말이었다. 사실, 소설에서 자기 체험을 완벽하게 숨기는 경우란 존재하지 않는다. 단지 이를 어떤 방식으로 풀어내는가가 소설의 맥락을 좌우한다.

만약에 말이다. 독자와 매달 술잔을 기울이는 작가라면, 아무리 의식의 흐름을 작품에 녹여 내더라도 금세 자신의 알리바이가 드러나지 않을까 싶다. 이를 전제로 한다면 소설이란 자기 고백의 표현물이라는 해석이 가능하다. 소개하는 작가 정영문은 등단 시절부터 일관되게 관념 소설을 추구하는 작가다. 2018년 출간한 『강물에 떠내려가는 7인의 사무라이』까지 그의 전작을 빠짐없이 모았다. 저자의 인터뷰 자료도 빠짐없이 읽고 또 읽었다.

정영문의 소설 세계에 대해서 작가 박민규는 '잘 짜인 인생의 알리바이'라는 멋진 표현으로 응수한다. 박민규는 '무기력한 한국문학에 대해서 성토하는 이에게 말없이 정영문의 소설을 내밀 것'이라고 추천사에서 밝힌다. 소개하는 정영문의 작품 『바셀린 붓다』는 박민규가 쓴 빛나고 인상적인 추천사를 장착한 장편소설이다.

도대체 정영문이 어떤 소설가인가. 인터넷 서점 검색창에서 '정영문'을 입력하면 그의 창작물보다 번역서가 먼저 시야에 잡힌다. 그렇다. 정영문은 수년 전까지 번역 활동으로 생활비를 벌고, 창작으로 인생의 의미를 찾는 작가였다. 현재 정영문은 더 이상 번역서는 내지 않고 있다. 그는 내게 휴직기 동안 영단어와 숙어에 대한 기억력이 쇠퇴했다는 이유를 언급하더라.

그의 작품이 베스트셀러 목록에 진입하는 일은 아쉽게도 없을 것이다. 감상과 흥미 위주의 소설에 길들여진 독자의 입맛에 호응하는 문학이 아니라는 게 이유가 되겠다. 하지만 나는 정영문의 전작을 신주단지 모시듯 서재에 보관한다. 도심보다는 조용한 야외에서 독서를 할 기회가 생길 때에는 늘 그의 책을 챙긴다.

마음이 울적할 때면 들르는 홍대 다복길의 음악 카페가 있다. 나는 그곳에서 좋아하는 음악을 신청하고 맥주를 마신다. 그 카페를 드나든 지가 벌써 7년이다. 난 그곳에서 정영문을 정확히 3번 보았다. 그는 사진에서 본 첫인상처럼 강렬하고 위압적인 인상이 아닌, 오랜 고행을 마치고 속세에 들른 수도자의 행색이었다. 그의 말은 카페에 흐르는 포크 음악 소리에 묻혀 들리지 않았고, 흑맥주를 주문하는 그의 느릿한 음성만이 띄엄띄엄 기억에 남아 있다.

혹시나 해서 계산을 하면서 카페 사장에게 손님이 정영문이 맞는지 물어보았다. 웬걸. 그는 정영문이 아니었다. 그렇다면 도대체 정영문은 어디 존재하는 것일까. 착각의 원인은 바로 이미지였다. 나는 스스로 이미지를 만들고, 그 이미지 속에 정영문이라는 작가를 세워 놓았던 거다. 도망치듯 카페를 나오면서 작가의 미로 같은 문장처럼 만들어 낸 정영문의 이미지를 지워 내야만 했다.

"한 방향으로 흐르는 시간이 퇴장한 무대 위로 기억 속의 일화들과 상상 속의 이미지들이 춤을 춘다. 나는 그것들을 향해 손을 흔들고, 더 나아가 같이 춤을 춘다. 과거가 현재 속에서 재생되며, 나는 지나간 순간들을 다시 지나간다." (38)

이런 식이다. 독자를 몽롱하게 만드는 사유의 문장을 매 페이지마다 등장시키는 내공을 장착한 작가란 그리 많지 않다. 정영문의 먹구름 같은 글을 접할 적마다 이인성, 박상륭 작가가 함께 떠오른다. 대다수 작가는 자신의 소설이 역사에 길이 남을 만한 문제작이기를 원한다. 그러면서 자신의 작품이 기하급수적으로 팔려 나가는 신기루에 빠지고는 한다. 창작 행위만으로 생활비를 충당하는 삶, 창작의 결과물이 엄청난 부의 대체재로 변해 가는 환상에서 작가는 자유롭지 못하다. 이런 전제라면 정영문은 정말이지 자존감이 단단한 작가다.

세상에는 각양각색의 실용주의자가 존재한다. 실용주의자란 옳고 그름이 아닌, 오로지 가능성에 승부수를 던지는 존재다. 따라서 실용주의자에게 예술의 역사적인 정당성을 묻는 행위란 타락한 정치가에게 혹세무민에서 벗어날 수 있는 해결책을 내놓으라고 항변하는 일과 다를 바 없다. 한국에서 현대문학을 하는 대부분의 작가는 실용주의자다. 그들은 소설을 통해 세상과 부딪치기보다 교묘하게 타협하는, 아니면 세상과 의식적으로 충돌하면서 자신의 존재감을 드러낸다. 이런 측면에서 정영문은 실용주의자가 아니다. 그렇기에 그를 읽으면서 한국문학의 미래와 가능성을 동시에 경험할 수 있다.

"눈앞에 펼쳐진 자연을 보고 있자 그 자연은 자연인 것에, 자연일 수밖에 없는 것에 지친 것처럼, 또는 지루해하는 것처럼 보이기도 했다. 대체로 자연은 내게 편안함을 주었지만 그 순간 자연은 자기만족에 너무나 깊게 빠져 있는 것처럼 보였고, 그것이 약간 거북하게 느껴졌다. 그리고 문득 자

> 연의 모습은 왜 언제나 자연스럽게 보이는가라는 내 안의 오래된 물음이 다시 떠올랐다." (138)

서사로 승부하는 소설은 책을 덮은 이후에도 선명하게 뇌리에 남는 줄거리가 존재한다. 마치 영화 〈트루먼 쇼〉처럼 말이다. 나는 지금 일본 오키나와 해변가에 누워 있다. 3월 말인데도 20도를 웃도는 푹푹한 날씨다. 물에 들어가기는 부담스럽지만 햇살을 받으며 책을 읽기에는 더없이 좋은 환경이다. 방금 138페이지를 넘겼지만 여전히 책의 첫 페이지를 읽는 기분이다. 예상대로 정영문의 『바셀린 붓다』는 서사에 승부를 거는 소설이 아님이 분명하다.

작가는 천혜의 자연에게 수많은 형태의 의문부호를 던진다. 이를테면 무심한 것처럼 보이는 자연에는 균형에 대한 어떤 강박이 있는지, 자연이 오류를 저지르지 않는지, 아니면 오류로부터 자유로운지, 자연에는 어떤 책임도 없고, 어떤 책임도 물을 수 없는지에 대해 작가는 독자에게 소심한 시비를 건다. 오키나와의 바닷바람이 차가워질 무렵, 『바셀린 붓다』는 종착역을 향해 걸음을 서두른다.

> "실재하는 섬이지만 내 상상 속에서 더욱 뚜렷하게 존재하는 그 섬에 대한 생각을 하며, 그 음악 속에서 나는 천천히 어딘가로 이동한다. 이제 하나의 긴 생각을 그만둘 때가 된 것 같은 생각이 든다." (275)

책의 마지막 부분이다. 어라. '이 문장은 오로지 반전으로 승부하려는 지루한 스릴러 영화의 마지막 장면을 뻔뻔스럽게 말하는 영화광의 작태와 다름없다'라고 비난하지 않았으면 좋겠다. 왜냐하면 정영문의 글은 처음과 끝을 구별할 수 없는, 커다란 퍼즐과 같은 구조를 가지고 있기 때문이다.

박민규의 말처럼, 이것이 우연이든 필연이든, 독자들이 정영문의 목격자가 되어 주기를 진심으로 바라는 마음으로 정영문에 대한 서평을 써 내려갔다. 솔직히 정영문의 글은 문학이라는 외양을 하고 있지만 일반적인 형식논리에 포함시킬 만큼 답습적이지 않다. 정영문의 실험 정신은 앞으로도 적지 않은 2세대 정영문을 배출해 낼 것이며, 2세대 정영문은 자신의 알리바이가 한국문학계가 아닌 우주에서 살아남을 만한 창작 에너지를 함유할 것이라 예상한다.

어느덧 오키나와에 밤이 찾아왔다. 나는『바셀린 붓다』책 표지를 물끄러미 바라보면서 미지근한 캔 맥주를 들이킨다. 정영문의 문장처럼, 내일 아침이면, 숙취에서 깨어난 어느 순간에라도 다시 의식을 잃을 것 같았는데, 모든 것이 거짓말 같았고, 그것은 삶 자체가 거짓말 같은 것과 다르게, 혹은 다르지 않게, 거짓말 같다는 생각을 다소 또렷이 했지만, 그것은 하나도 이상할 것이 없다는 생각을 했다는 사실을 어렴풋이 기억할지도 모르겠다.

부언하자면, 나는 2017년 가을에 정영문을 6호선 상수역 1번 출구에서 실제로 만났다. 상상의 세계가 아닌 현실에서 만난 그는 신기하게도 같은 동네에 살고 있었다. 서울 상수동의 음식점에서 함께 식사를 하고 홍대 후문 근처에 위치한 카페에서 차를 마셨다. 그는 사뮈엘 베케트의 문학 세계를 재차 언급했고, 작가의 일상에 대한 이야기를 했다. 느리지만 신중한 미래형 작가와 대화를 나눈 그날은 오후만 있던 일요일이었다. 나는 정영문을 직접 만났지만, 결과적으로 그를 정면으로 만나지는 못했다.

다시 부언하자면, 나는 2019년 봄에 정영문을 동교동 횡단보도 앞에서 우연히 다시 만났다. 그리고 일주일 후에 횡단보도를 건너가는 정영문의 뒷모습을 다시 보았다. 작가의 표현을 빌리자면, 나는 어쩌면 그를 3번이나 만났지만 그를 만나지는 못했다.

15. 최고의 이야기를 위하여

더 인터뷰 (지승호)

한 가지 일에 뼈를 묻는 자를 일컫는 말이 있다. 편리하게 표현하면 전문가이고, 거창하게 말하면 장인이라 할 수 있겠다. 지금, 여기, 한국 출판계 최고의 인터뷰어를 소개한다. 그는 무려 15년이 넘는 세월 동안 40권이 넘는 인터뷰 책을 출간했다.

등장하는 인터뷰이의 면면이 대단하다. 그들은 지승호라는 이름 석 자를 믿고 진지하게 인터뷰에 임한다. 15년. 이 정도의 시간이면 목에 힘이 들어갈 법도 한데 지승호는 인터뷰를 진행하는 동안 철저히 자신의 존재감을 드러내지 않는다.

지승호의 책을 읽다 보면 〈무릎팍 도사〉 방송을 진행하던 연예인 강호동이 떠오른다. 당시 쉴 새 없이 고성을 질러대며 방송 사회를 진행하던 그의 등장이 불편했다. 도대체 우리나라 방송계에는 사회를 볼 만한 이가 강호동밖에 없는가, 차라리 말맛이라도 있던 주병진이 사회를 보던 1980년대가 그리울 정도였다. 그런 거부감의 유일한 예외가 〈무릎팍 도사〉였다.

이 방송을 자세히 뜯어보면 사회자 강호동은 교묘하게 등장인물 중심의 진행을 유도한다. 대충 봐서는 강호동의 넉살에 밀려 초대 인물이 밀랍 인형처럼 터덜터덜 웃기만 하다 사라지는 모양새라고 착각할지 모르겠다. 결코 그렇지 않다. 강호동의 영리한 진행으로 〈무릎팍 도사〉는 시청자의 뜨거운 관심을 받았다. 만일 강호동만의 원맨쇼로 〈무릎팍 도사〉를 진행했다면 결과는 뻔했을 것이다.

지승호는 강호동보다 한 수 위의 인터뷰 기법을 가지고 있다. 인터뷰이를 의도적으로 자극하는 발언을 즐기지 않는다. 방송에서 시청률이 존재한다면 출판계에서는 가독성이라는 판매 자극 요소가 존재한다. 지승호는 가독성을 높이기 위해 억지 흥미나 가십 위주의 진행을 유도하지 않는다. 인터뷰이와 논쟁을 하려 들지도 않는다. 그는 철저하게 호기심성 인터뷰를 지향한다. 그런 와중에 사회구조와 관련한 내밀한 인터뷰를 야금야금 끌어낸다. 이는 자신을 드러내기 위한 욕망을 단정하게 내려놓은 자만이 해낼 수 있는 인터뷰 방식이다. 금욕주의자라는 말이 언뜻 떠오르는 지승호는 지금도 누군가를 만나서 녹음기 버튼을 누르는 중이다.

지승호는 초기작 『비판적 지성인은 무엇으로 사는가』에

서 자신을 '지적 파파라치'라고 소개한다. 이는 독자의 말초적인 호기심을 충족시켜 주는 파파라치가 아닌, 대중들의 지적 호기심을 채워 주는 존재라는 의미다. 누군가를 만난다는 행위에서 지혜와 통찰을 끌어내는 짜릿함. 그리고 눈 맑은 독자가 만남의 기록을 보면서 즐거워하는 모습을 공유한다는 것. 지승호의 인터뷰어 인생은 이렇게 시작한다. 책에는 김어준, 김규항, 홍세화, 진중권, 고종석, 유시민, 정유정 등 만만치 않은 존재감을 응축한 자와의 향연이 펼쳐진다. 때는 2002년. 이미 지승호는 한국을 대표하는 인물과 진검승부를 펼치던 인터뷰어였다.

다음은 인터뷰 중독자 지승호와 만났던, 인간 지승호에 대해서 설명하는 인터뷰이가 남긴 말이다.

- 20년된 친구에게도 못한 얘기를 지승호에게는 한 것 같다. — 오지혜(배우)
- 이 양반이 뭔가에 대해 물어보면 '이유가 있겠지' 하고 편하게 대답한다. — 故신해철(가수)
- 그의 인터뷰 속에서 인터뷰이는 마치 제집에 있는 듯 편안함을 느낀다. — 진중권(교수)
- 지승호의 인터뷰는 발군이다. 나의 사유를 자극하고 그것을 표현하도록 제대로 유혹했다. — 강신주(철학자)
- 지승호는 인터뷰 전문 저널리스트 오리아나 팔라치

(Oriana Fallaci)보다 더 윤리적이고, 바바라 월터스(Barbara Walters)보다 성실하다. — 강준만(교수)

소개하는 책 『지승호, 더 인터뷰』는 초기작처럼 다양한 분야에서 활약하는 인터뷰이가 줄줄이 등장한다. 강풀(만화가), 김난도(교수), 박순찬(만화가), 오지은(가수), 이상호(기자), 한희정(가수), 강준만(교수)으로 책을 꾸민다. 이번 책에는 2명의 만화가와 2명의 가수가 인터뷰이로 등장한다. 이제는 인터넷 서점 신간 코너에서 '지승호'라는 이름이 등장하면 파블로프의 개처럼 자연스럽게 '구매' 버튼으로 손이 간다.

그런 지승호라고 삶의 그늘이 없었을 리 없다. 그는 『지승호, 더 인터뷰』 서문에서 자신에게 상처를 준 댓글을 가감 없이 인용한다. 내용인즉슨 이러하다. '남의 말이나 받아 적는 주제에 지 이름 달고 책을 내는 일을 15년간 하다니 정말 뻔뻔하다.' 사실일까. 문구 하나하나씩 되새겨 볼 필요가 있는 대목이다.

'남의 말.' 공감하기 어렵다. 지승호가 15년간 만난 인터뷰이에게 남이라는 표현은 적절치 않다. 그들은 동시대를 살아가는 친구이자 동료다. 이는 인터뷰이까지 함께 낮춰 말하려는 파괴적인 표현이다.

'받아 적는.' 알다시피 지승호는 속기사가 아니다. 그는 인터뷰이에 대해 치밀하고 세세한 사전 학습 과정을 반복한다. 작가가 인터뷰이인 경우는 그의 전작을 미리 섭렵하고 나가는 과정이 필수다. 따라서 인터뷰 내용은 모두 지승호로부터 나와서 지승호로 마무리한다. 이는 기계처럼 이야기를 받아 적는 과정과는 출발점부터가 다르다. 지승호는 창조적이고 진지한 인터뷰 노동자다.

'지 이름 달고 책을 내는 일.' 이제 지승호라는 이름 석 자는 한국 인문 출판계의 대표 주자가 되었다. 지승호의 인터뷰집을 살지 말지에 대한 결정은 오로지 대한민국 독자의 몫이다. 당연한 말이지만 모든 인터뷰집에는 인터뷰어와 인터뷰이의 이름이 들어간다. 이는 지승호만의 이슈로 몰아갈 부분이 결코 아니다.

'15년간.' 질문이 필요하다. 과연 15년이라는 세월을 지승호처럼 시간의 유혹을 애써 누르면서 한 가지 과업에 전념하는 과정이 가능한지를 말이다. 이 대목에서 자신 있게 '그렇다'고 말할 수 있는 자, 과연 몇이나 될까.

그는 2010년 『쉘 위 토크』라는 인터뷰집을 출간하고 더 이상 인터뷰집을 내지 않겠다고 결심한다. 이게 바로 인터뷰 문화가 자리 잡지 못한 후진국형 인터뷰 시장을 가진 한국의 현실이다. 지승호식 표현에 의하면, '무슨 호강을 누리겠다고' 이 길을 오래도록 걸었는지에 대한 갈등의 흔적이다. 다행히도 지승호는 여전히 인터뷰어의 길을 멈추지 않는다. 지속가능한 성실함과 상대방에 대한 배려와 유연함과 거리 두기가 없이는 접근이 불가능한 영역이 인터뷰어의 세계다.

『지승호, 더 인터뷰』에 실린, 지극히 지승호스러운 이야기를 정리하면서 이 장을 마칠까 한다. 책에 등장하는 지승호의 목소리를 끝으로, 그의 인터뷰 노동이 중단 없이 이어지기를 기원한다. 지승호는 2018년에 은행나무 출판사에서 소설가 정유정과의 인터뷰집을 출간한다. 그가 작가의 소설을 미리 섭렵했음은 물론이다. 지승호표 인터뷰가 앞으로도 변함없이 지속가능하기를 염원한다. 다음은 책에 등장하는 인터뷰 문구이다.

"예전에 마광수 교수가 하소연한 부분이 자기를 좋아하는 사람도 있고 싫어하는 사람도 있을 텐데, 좋아하는 사람은 가만히 있지만 싫어하는 사람은 전화해서 '이 교수 잘라라' 한다고요." (34, 강준만 인터뷰에서 발췌)

"만화가 중 어떤 이는 특히 착한 만화에 대해 혐오감을 표하기도 합니다. 파격적인 소재를 선호하는 경우가 많지요. 작가님의 작품은 소위 '착한 만화'에 속할 것 같습니다." (95, 강풀 인터뷰에서 발췌)

"이런 흐름들을 어떻게 보면 버텨온 거잖아요. 평가를 못 받는데도 불구하고 계속 앨범을 내고 지속적으로 하다 보니까

'아, 이분들이 음악을 계속 하고 있었고, 음악적으로 점점 훌륭해지는구나' 하는 평가들이 많아지는 것 같은데요. 자부심 같은 것을 느낄 수도 있을 것 같아요." (286, 오지은 인터뷰에서 발췌)

16. 생활형 만화가의 좌충우돌 성장기

습지생태보고서 (최규석)

제목부터 심상치가 않다. 마치 문화인류학 대학원 소논문 같은 냄새가 나는 『습지생태보고서』는 만화책이다. 만화라면 일단 무시하고 드는, 그러면서 한 달에 고작해야 책 한 권을 읽을까 말까 한 비문화스러운 생태는 언제쯤이나 달라지려나.

혹시라도 최규석이 누구인지 목차를 읽으며 이름에 의구심을 던지는 독자라면 지금이라도 늦지 않았다. 책을 읽다 웃음 폭탄을 터뜨린 지가 언제인지 기억이 나지 않는 독자에게 이 책을 권한다. 지질한 삶에 대한 거부감을 가진 독자에게 『습지생태보고서』는 정성스레 준비한 한약 같은 작품이다.

만화란 시각적인 요소가 강한 문화 콘텐츠다. 일부 만화를 제외하고는 페이지를 넘기는 속도가 인문서와 비교가 되지 않을 정도로 빠르다. 그러다 보니 일반 서적에 비해서 독자의 지갑을 열기가 쉽지 않다. 2012년부터 인기를 독차지한 윤태호 작가의 『미생』이나 음식을 소재로 한 허영만 작가의 『식객』류의 시리즈 만화도 있지 않느냐고 반문하지 말았으면 한다. 만화 세계에도 승자 독식의 문화가 똬리를 틀고 있으니까.

한국만화가협회의 홈페이지를 보면 등록 만화가만 2019년 기준으로 600여 명에 달한다. 여기에 만화학과 학생과 졸업생, 전공에 상관없이 직업 만화가를 꿈꾸는 이를 모두 합치면 적어도 10,000명이 넘을 것이다. 오로지 만화만 그리며 의식주를 해결하는 전업 작가의 숫자는 넉넉히 잡아도 10명 남짓이다. 생존율 0.1%라는, 낙타가 바늘구멍에 발가락을 넣기만큼 어려운 시도가 '전업 만화가로 생존하기'다.

최규석은 여타 만화가처럼 만만치 않은 습작기를 거친다. 그의 고향은 경남하고도 진주다. 창원에서 자랐으며, 서울 상명대에서 만화를 전공한다. 20대 초반에 서울문화사 공모전에 당선했으니 만화가로서의 출발은 비교적 무난한 편이었다. 알다시피 대한민국에서 신인 작가상이라든가 신춘문예 등의 공모전은 말 그대로 일회성 행사에 지나지 않는다. 상을 받기도 쉽지 않으며, 다행히 상을 받았다고 연금처럼 매월 통장에 돈이 꽂히는 일도 전무하다. 게다가 여기저기서 작품을 달라고 휴대폰에 불이 나는 일도 기대하기 어렵다.

도대체 없는 것투성이인 일회성 행사에 목을 매는 사람의 정체는 무엇일까. 이게 바로 창작자의 삶이다. 무명 예술가는 경제적인 압박에 시달려 상당수가 현실적인 타협을 택한다. 가장 극단적인 경우는 예술을 포기해 버리는 상황이다. 당장은 속이 편할지 모르지만 혈관을 흐르는 예술가의 피를 역으로 돌리기란 쉽지 않다. 두 번째는 소위 따로국밥형 예술가다. 직업 따로 예술 따로인 경우를 의미하는데, 모르긴 해도 대부분의 예술가가 이런 생활을 영위한다.

이 두 가지 관문을 낮은 포복으로 통과한 뒤에야 얻는 직업이 바로 작가이다. 『습지생태보고서』는 계급에 관한 만화다. 그렇다고 해석이 쉽지 않은 이데올로기의 각축장까지는 아니다. 이 만화, 페이지를 넘길 적마다 씁쓸한 웃음이 터져 나온다. 웃기는 했는데 마음 한구석이 싸하다면 그대는 최규석의 마법에 제대로 걸린 독자이다. 작가 최규석은 만화로 세상과 타협하기보다는 만화로 세상을 바꾸려 하는 예술가에 해당한다.

"듣자 하니 상황이 딱한 듯하나, 여러 정황을 종합해 볼 때 단순히 빈대 붙으려는 의도가 아닌가 의심이 됩니다. 하지만 보시다시피 저희 방은 공간에 비해 과도한 인원이 주거하며 하루 세 끼 풀칠하기도 빠듯한 살림이라 빈대를 받을 형편이 못 됩니다. 친구 중에 유일하게 부모 잘 만난 덕에

광활한 자취방에서 홀로 외로이 호의호식하는 놈이 있으니,
(…)” (39)

만화 『습지생태보고서』의 주무대는 자취방이다. 화장실에 방 하나가 전부인 곳에서 무려 4명의 청년과 녹용이라 불리는 동물이 모여 산다. 인간과 동물을 수평적으로 묘사하는 작가의 의도가 신선하다. 예상대로 이들의 하루는 풍요롭지 못하다. 작가의 아바타로 보이는 최군은 만화학과에 재학하는 학생이다. 3대째 내려온 가난으로 온몸에 궁상이 배어 있으며, 입만 열면 청산유수로 사회 현실을 비판하는 인물이 최군이다.

이들은 길에서 집어 온 집기로 비좁은 자취방에서 각자의 삶을 지탱한다. 경제적인 남루함을 자랑으로 여기지는 않지만 딱히 부끄러워하지도 않는다. 작가의 변에 의하면, 만화의 주인공들은 삶을 은근히 즐기는 듯한 뻔뻔함과 뒤에서나마 구시렁거릴 줄 아는 비판 의식을 갖춘 존재다.

“도대체 어느 지역의 커피 가격이 5만 원을 상회하는지는 알 수 없으나, 우리에게 있어 5만 원은 고향에 계신 부모님이 병원비까지 아껴 가며 보내 주신 용돈의 일부이며, 꼬박 하루를 노가다 판에서 굴러야만 만질 수 있는 액수이다.” (51)

주인공 최군에 따르면 5만 원에 대한 해석이란 자본의 소유 여부에 따라서 판가름 난다. 이런 생계형 만화가 어떻게 정식 출간이 되었는지 궁금해 할지 모르겠다. 이게 바로 만화의 힘이다. 최규석은 비루한 삶을 유지하는 등장인물의 상황을 철저하게 블랙코미디로 무장하는 기지를 발휘한다. 고로 독자는 무거움보다는 가벼움을, 우울함보다는 건강한 웃음을 선사받는다.

"밤새 꺼지지 않는 형광등./방 안 가득 자욱한 담배연기./때에 절은 이불./빈틈없이 들어찬 짐들…./누군가는 비참이라 말하지만/나는 이곳에서 행복하다." (78-9)

여기까지는 마치 감옥 창살에서 희망과 절망을 보았다는 2명의 죄수가 떠오른다. '생활이 그대를 속일지라도, 어쩌고, 하는 대책 없는 희망 고문이 아닌가'라고 미간을 찡그리기가 무섭게 최규석표 만화는 독자의 뒤통수를 살짝 눌러 준다. 그는 후반부로 갈수록 독자에게 사유할 여지를 남긴다. 최규석표 만화는 일관성 있게 낮은 곳을 지향하면서 인간 본연의 가치에 천착한다.

"세상의 번잡함과 호화로움에 눈 돌리지 않는 친구들과/나를 이 땅에 서게 해 주는 소중한 꿈이 있으니./혹 내 생활이/더 나아지지 않는다 하더라도/슬퍼할 일은…./

슬퍼할 일은…없을…/잘 데가 없다./c8 … 성공하자! 지평선이 생성되는 방에서 매일매일 천 바퀴씩 굴러다녀 줄 테다!" (80-1)

소개한 4페이지 단편 만화의 소제목은 '안분지족'이다. 네이버 지식백과를 찾아보면, 제 분수를 지키며 만족할 줄 아는 모습이 안분지족이라고 나온다. 이는 막판 반전을 위한 저자의 의도적인 반어법에 해당한다. 작가는 등장인물을 쥐락펴락하면서 그들의 저렴한 일상을 예시로 삼아 각박한 현실을 냉소한다. 최규석은 『습지생태보고서』의 유명세로 전업 작가로 버틸 수 있는 최소한의 경제적 기반을 다진다.

그는 화제작 『송곳』 시리즈로 본격적인 인권 만화가로서의 행보를 굳힌다. 히트작 『습지생태보고서』를 처음 연재하던 해는 2004년이다. 이후 15년이 흘렀지만 세상은 크게 달라지지 않았다. 변함없이 최저생활비도 보장받지 못하는 예술가가 죽음을 택하고, 노동의 대가 없이 부를 축적하는 타락한 자본가의 득세가 여전하다. 최규석은 자신의 유명세를 부와 대체하려 들지 않는다. 메피스토의 유혹에 굴하지 않는 만화작가 최규석은 바르고 용감한 작가임이 틀림없다.

다음은 2018년 경향신문 칼럼에 직접 실었던 최규석에 관한 칼럼이다.

(중략) 최규석은 자신이 취재한 사람들의 의지와 회의, 낙관과 비관, 영광과 상처를 접하면서 만화를 완성했다고 언급한다. 구소신은 시키면 시키는 대로 못하고 주면 주는 대로 못 받는 인간들, 세상의 걸림돌 같은 인간들이 노동법을 완성했다고 말한다. 최규석은 오물을 뒤집어쓴 뒤에 찾아오는 역설적 자유의 가치를 등장인물 이수인과장에게 투사한다. 이과장은 만화에서 송곳의 전형으로 등장한다.

송곳은 위해적인 특성을 지닌 물건이다. 저자는 송곳에 곧은 인성을 부여한다. 탄압과 무시를 일삼아도 하나쯤은 삐집고 나오는 존재. 노조설립을 불허하는 절대권력에 대항하는 용기. 선한 약자를 약한 강자로부터 지키는 것이 아니라 시시한 약자를 위해 시시한 강자와 싸우는 신념. 송곳이란 인간이 궁극적으로 원하는 두번째 세상을 여는 묵직한 열쇠이다.

만화 〈송곳〉의 유명세는 작품의 확장성에 근거한다. 최규석은 노동문제를 포함한 일상에서 발발하는 비합리성을 만화로 풀어낸다. 세상을 떠난 스티븐 호킹은 재밌지 않으면 인생은 비극이라고 말했다. 과연 그럴까. 〈송곳〉과 신작 〈100도씨〉는 재미보다 의미를 추구하는 만화이다. 앞으로도 최규석은 막다른 길목에서 스스로에게 질문하는 만화를 만들 것이다. 최작가의 다음 질문이 궁금해진다.

17. 고래와 함께 춤을

B급좌파 세 번째 이야기 (김규항)

김규항의 글은 짜다. 커다란 소금 덩어리가 씹히는 듯한 김규항의 글을 흡입하고 나면 온몸에 염분이 차 올라온다는 느낌이 든다. 김규항은 비판적 글쓰기를 지향한다. 게다가 현란한 말발까지 갖춘 진보 논객이다.

비판적 글쓰기란 무엇일까. 당연한 말이지만 비판적 사고를 전제하지 않는 글쓰기는 어불성설이다. 인문학의 기본 정신은 자신을 포함한 주변부에 대한 비판적이고 분석적인 자세다. 여기서 말하는 비판이란 수동적으로 사회문화를 흡수하는 일이 아닌, 자신만의 시각으로 이를 정제하는 과정을 뜻한다. 따라서 비판이란 어감에서 풍기는 부정적인 인식은 위선자들이 만들어 낸 허상이다. 비판 의식이 사라진 글은 껍데기요, 먹어 봐야 혈관만 막히는 인스턴트 식품과 다를 바 없다.

B급 좌파라는 별칭을 가진 김규항이 쓴 535페이지에 달

하는 책을 읽었다. 이름하여 『B급좌파 세 번째 이야기』다. 2005년 여름부터 2010년 봄까지 쓴 글을 모아 출간한 책이다. 글을 준비하면서 2014년에 출간한 『김규항의 좌판』과 소개하는 『B급좌파 세 번째 이야기』를 저울질하다 오래된 책을 골랐다. 이유는 김규항이라는 이름 석 자를 세상에 알린 책이 『B급좌파』 시리즈이기 때문이다.

B급 좌파는 김규항의 짧은 글 제목에서 등장한 별칭이다. 그게 우연히 책 제목으로 나오면서 김규항 = B급 좌파라는 공식이 성립된 것이다. 'B급'이라는 단어에서 오는 어감은 다소 키치스럽다. A급처럼 경쟁 지향적이고 뻔해 보이지 않으면서 얕볼 수 없는 어감을 지닌 표현이 바로 B급이다. 여기에 좌파라는 이데올로기적인 정치 용어가 합세하여 시너지 효과를 불러온다. 그렇게 김규항은 B급 좌파로 재탄생한다.

백문이 불여일독이라고, 아래 글맛을 보고 김규항을 다시 생각해 보자. 다음은 연도순으로 정리해 본 『B급좌파 세 번째 이야기』에 등장하는 문장들이다. 저자의 글을 쓰는 이유에 대한 문장이다.

> "내가 글을 쓰는 이유, 즉 내가 단어와 단어를 꿰고 이어 붙여 사람들에게 보이는 이유는 단지 세상에 대한 생각을 나누기 위해서다. 나는 글의 소재를 얻기 위해 세상을 들여다보는 게 아니라 세상을 들여다보기 위해 글을 쓴다." (18,

2005. 8. 12)

김규항의 글은 간결하면서도 리듬감이 넘친다. 그는 초고를 완성한 후 평균 서너 번 이상의 퇴고를 거치면서 간결한 문장을 만들기 위해 '잘라내는' 작업에 심혈을 기울인다. 그는 자신의 삶을 더 낫게 만들지 않는다면, 김규항이라는 인간을 더 낫게 만들지 않는다면, 자신의 글은 아무것도 아니라고 주장한다. 결국 김규항식 문장에 대한 태도는 역사와 인식에 관한 김규항의 태도를 의미하는 셈이다.

> "세상을 파악하는데 정보가 필요한건 사실이다. 고급정보라면 더 좋다. 그러나 제 아무리 고급정보를 가지고 있어도 제대로 된 눈이 없다면 아무것도 파악할 수 없다. 오히려 아무것도 파악하지 못하면서 다 파악하고 있다고 착각하기에 더 무지몽매한 상태가 된다." (53, 2006. 3. 28)

김규항은 세상을 파악하는 데 필요한 건 지식이나 정보 따위가 아니라 제대로 된 눈을 의미하는 교양임을 강조한다. 교양이 있다면, 독방에 갇혀 몇 해 동안 면회와 독서가 금지되어도 세상의 정체를 훤히 볼 수 있다고 김규항은 말한다. 교양의 반대편에는 교양과 결별을 선언한 계급이 존재한다. 이는 무지한 게 아니라 정직하지 못한 존재라는 의미다. 교양을 잃은 자는 주류 사회의 핵심부에 접근할수록 아무것도 볼 수 없다고 김규항은 개탄한다. 여기서 김규항이 말하는 교양이란 지식의 축적이 아니라 세상을 보는 정직한 태도에 기반을 두는 텍스트다.

> "가난은 적게 소유함으로서 다른 사람의 몫을 늘리는 보다 정당한 삶이며, 적은 땅을 사용하고 적게 소비하고 적게 태움으로써 파괴되어가는 지구에 생명의 도리를 다하는 보다 품위 있는 삶이다." (121, 2007. 5. 17)

먹고 살기 바쁜 세상에 무슨 가난 예찬이냐고 반발하는 독자라면 재고를 권한다. 지금 정말이지 먹고 살기에만 바쁘냐고, 정말이지 돈이면 최고라는 가치관이 전부냐는 물음표가 뒤를 잇는다. 김규항은 가난보다 더 심각한 위기는 가난한 사람들이 가난의 품위를 잊어버리는 것이라고 적는다. 김규항이 해석하는 가난이란 비루하고 수치스러운 상황과는 거리가 멀다. 가난은 불편하고 때론 참으로 고통스러운 현실이지만, 적어도 부유보다는 정당하고 품위 있는 삶의 방식이라고 말한다.

> "진보란 무엇인가 하고 묻는다면 여러 대답이 가능하겠지만 저는 진보란 사회가 더 행복해지는 것이라 대답하겠습니다." (187, 2008. 9. 3)

B급 좌파 김규항이 생각하는 진보란 무엇일까. 그는 행복이 아닌 것을 행복이라 믿고서 인생을 소모하거나 고난에 빠지는 것이 아니라, 올바르고 정의롭기 때문에 고통과 헌신을 감수하자는 것이 아니라, 진짜 더 잘살고 더 행복해지기 위한 진보의 중요성을 말한다.

한국인은 진보적인 세상을 가로막는 근본적인 이유가 보수 성향의 권력자 탓으로 돌리는 태도를 지니고 있다고 저자는 꼬집는다. 이는 진보 세력에 대한 이중 비판이기도 하다. 그는 자기 수준에 맞는 정부를 가질 수밖에 없는 시민 의식에 비수를 들이댄다. 민주적인 선거 절차에 의해 당선된 대통령을 비난하는 태도는 결국 자신을 비난하는 행위와 다를 바 없다는 김규항의 성찰은 다양한 의미를 내포한다.

> "이제 우리에게 남은 건 여기를 가나 저기를 가나, 살기 어렵다는 아우성이다. 우리는 잠시라도 그 아우성을 멈추고 우리의 아우성이 어디에서 오는지 조용히 되새겨보아야 한다." (250, 2009. 3. 11)

김규항은 독자에게 말을 건다. 경제 사정이 좋지 않다는 건 누구나 아는 사실이지만 그 정도로 아우성칠 만큼 삶이 지난한지 반문한다. 그래서 우리 주변엔 여전히 음식 쓰레기가 차고 넘치며, 만나면 최신 다이어트 정보를 교환

하는지 묻는다.

결국 부의 부족이 아니라, 가난의 부족 때문에 더 이상 자유롭지도 행복하지도 못한 게 아닌지 조용히 되새겨 보아야 한다고 주장한다. 그리고 아우성 탓에, 정말로 아우성쳐야 할 사람들, 오늘도 여전히 전태일의 싸움을 지속해야 하는 민중의 깊은 시름이 덮이고 배제되고 있지 않은지 자문한다.

"밝은 얼굴로 아직 희망이 있다, 고 말하는 사람을 보면 이 사람은 희망에 대해서 관심이 없구나 하는 생각이 든다. 확신에 찬 얼굴로 신은 있다, 고 말하는 사람을 보면 이 사람은 신에 대해선 관심이 없구나 하는 생각이 든다." (534-5, 2010. 3. 4)

여기서 옥에 티가 등장한다. 현대 인문학에서 종교란 과거의 유물이라고 단정하는 논리가 존재한다. 물론 김규항은 정반대의 위치에 서 있다. 그의 종교적 강박은 글쓰기에서도 생생하게 확인 가능하다. 독자에게 예수의 가치를 전파하겠다는 종교인으로서의 의무감이 엿보인다. 신에 관한 그의 모호한 표현이 시선에 걸린다.

필자 역시 인문학과 종교는 쉬이 어울리지 않는 존재라고 여긴다. 세상의 수많은 종교는 서로 다른 교리와 가치관을 설파한다. 그 중심에 신이라는 제3의 존재가 자리 잡고 있다. 종교와 이데올로기의 공통점은 인간에게 우선순위를 좀처럼 내주지 않는다는 사실이다. 인간, 생명, 자연, 역사의 가치를 바로 세우자는 인문학의 관점에서 이 두 가지 존재는 인간의 보잘것없음을 재확인해 주는 증표에 지나지 않는다.

다시 김규항의 시간이다. 그는 변함없이 글로써 세상과 투쟁한다. 여기에 종교라는 거대 담론이 슬그머니 등장한다. 종교가 인간을 구원하리라는 전제에 대해서 김규항은 과연 어떤 철학을 가지고 있는지 의문스럽다. 글은 칼과 방패 사이를 오가는 기질을 가지고 있다. 전투적 진보주의자인 김규항의 글쓰기와 종교라는 숙제는 그가 향후 풀어야 할 과제다. 해석의 차이가 존재할 뿐 종교를 제외한 인간세계에도 천국은 분명히 존재한다. 행여나 종교 담론이 그의 냉철한 현실감각을 어지럽히는 일이 없었으면 한다.

18. 미학과 대화의 시간들

예술가의 비밀 (진중권)

한국의 진보주의자로 활동하는 진중권을 소개한다. 그는 원조 논객 강준만의 비판적 지지자인 동시에 저격수로 알려져 있다. 김규항과는 이항 대립적 관계를 유지하고 있는 인물이다. 진중권은 보수 언론사와 일전을 마다하지 않았던 사이버 논객으로도 유명한 인물이다. 필마단기로 해당 언론사의 게시판에서 펼친 일대 활극으로 전해진다. 지금은 정치 평론가이자 방송인으로 활동하는 중이다.

창비에서 발간한 『예술가의 비밀』의 저자를 홍대에서 펼쳐진 북 콘서트에서 다시 만나 볼 수 있었다. 진중권은 이미 아트선재센터의 한 영화 시사회에서 만나 본지라, 필자는 부담 없이 북 콘서트에 참석할 수 있었다. 그런데 아니었다. 조근조근 영화 담론을 풀어놓던 내성적인 진중권이 아니었다. 방송 활동의 영향일까. 쉬지 않고 수다를 쏟아 놓는 진중권의 말잔치는 원조 구라격인 강헌이 등장하면서 증폭 작용을 일으킨다. 예상과 달리 많이 웃고, 적당히 공감했던 북 콘서트였다.

그런 진중권이 예술가를 만난다. 예술의 장르에서 편식을 피하려고 노력한 흔적이 역력하다. 사진가 구본창, 건축가 승효상, 배우 문성근, 미술가 임옥상, 소설가 이외수, 대중음악 평론가 강헌, 시각디자이너 안상수, 미디어 아티스트 박찬경까지. 이름만으로도 고개를 끄덕일 만한 인물이다. 등장인물의 예술 세계에 대해 궁금하다면 자신 있게 『예술가의 비밀』을 권한다.

인터뷰형 출판물의 매력은 등장인물에 대한 세세한 '훔쳐보기'에 있다. 그다지 바람직한 접근 방식은 아니지만 인간은 타자에 대해 습관적으로 이미지를 만들어 낸다. 그 이미지가 오해를 부르고, 갈등을 초래하고, 거리감을 심화시키기도 한다. 독서란 이미지를 깨뜨리는 과정을 반복하는 일종의 파괴 행위다. 누군가를 제대로 알기도 전에 공론장으로 향하는 실수를 반복하지 않으려면 말이다.

다시 '훔쳐보기'로 돌아가 보자. 정상적인 감정 상태를 가진 이라면 타자에 대한 호기심이 없지 않을 것이다. 늘 가십에 오르내리는 유명인이라면 말할 것도 없다. 여기서 중요한 부분은 자신이 알고 있는 유명인의 이미지가 알고 보면 상당 부분이 허상이라는 사실이다. 그런 허상을 만들었다 허무는 착각의 시간을 최소화시켜 주는 고마운 존재가 인터뷰형 출판물이다.

진중권은 『예술가의 비밀』에서 대화식 인터뷰를 추구한다. 참석자의 의견을 조심스레 묻고, 이야기를 끌어내기 위해 자신을 낮추는 작위적인 인터뷰가 아닌, 주고받기식 인터뷰를 지향한다. 주고받기식 인터뷰는 적절한 탐색전과 화려한 난타전이 오간다. 모두 장단점이 존재한다. 인터뷰어의 지나친 개입으로 자칫하면 인터뷰이가 하고 싶은 이야기가 묻혀 버리는 단점이 있다. 하지만 준비된 인터뷰어라면 이를 충분히 상쇄함과 동시에 이야기 이상의 무엇을 끌어낼 수 있는 역전타를 날릴 수도 있다. 읽다 보면 가끔 핀트에서 벗어난 질문이 터져 나올 때도 있지만 경계선을 오가는 지적 즐거움을 주는 항목 또한 적지 않다.

> "예술은 제가 할 수 있는 유일한 것이라고 생각합니다. 그저 재미있고, 즐거워서 하는 것이지, 메시지를 전하는 수단으로 생각하지는 않습니다." (57, 구본창)

진중권이 사진작가 구본창에게 던진 마지막 질문은 '예술이란?'이었다. 예술만큼이나 다양한 해석이 가능한 질문이다. 구본창의 답변은 자기만족에 가까운 의미로서의 예술이다. 스스로 느끼는 재미와 즐거움이 전달의 방식보다 앞선다는 구본창의 답변은 모더니즘 시대 이후의 예술의 변화상을 느끼게 해 준다. 구본창은 세상에 다양한 기술이 있지만, 예술이라는 기술은 숨을 쉴 수 있게 해 주고 소통을 할 수 있게 해 주는 작은 통로라고 부언한다.

> "주택 안의 얼마 안되는 공간 속에서 기능적이라고 해봐야 얼마나 기능적이겠습니까. 가장 기능적인 집은 아파트죠."
> (105, 승효상)

건축가 승효상에게 던진 진중권의 질문은 현대인에게 '거주'라는 의미에 관한 의견이었다. 진중권은 편리함의 측면에서만 '거주'를 떠올리는 현대인의 무지함을 꼬집는다. 승효상은 아파트의 태생적인 문제점을 지적한다. 가족이 방문 닫고 들어가면 뭘 하는지 짐작할 수 없으며, 옆집이 붙어 있어도 무슨 일이 벌어지는지 알 수 없는 아파트라는 존재에 건축의 의미를 부여하기는 어렵다는 의견이다. 따라서 반기능적인 가치를 추구했던 옛집에서 '기분 좋은 불편함'을 짓는 건축이 필요하다고 승효상은 말한다. 공감한다.

> "저는 책의 기능도, 예술의 기능도, 종교의 기능도 결국 다 사람을 알고 느끼고 깨닫게 하는 데에 있다고 생각합니다."
> (228, 이외수)

다시 화두는 진중권의 전공과목인 예술이다. 진중권은

작가 이외수에게 예술이 사람들의 영혼을 썩지 않게 하는 방부제 역할을 할 수 있는지를 묻는다. 20세기 들어 예술까지 시장에 편입되어 버린 상황을 전제로 한 질문이다. 이외수는 예술이란 한 군데에 머물수록 썩기가 쉽기에 책, 예술, 종교라는 세 가지가 균형 있게 조화를 이룰 때 부패의 위험에서 벗어날 수 있다고 설명한다. 이외수는 모방은 기술에 해당하며, 창조는 예술과 밀접한 관계를 가진다고 말한다. 이에 진중권은 동양에서는 예술을 영적이며 도덕적인 관점에서 바라본다면, 서양에서는 지적이며 논리적인 관점에서 바라본다고 응수한다.

> "비평가는 음악을 창조하는 사람, 음악의 질서를 만들어내는 사람이 아닙니다. 그저 음악의 질서를 꿈꾸는 사람일 뿐이죠. 다시 음악과 음악가의 시대가 돌아온다면 비평가는 그와 함께 돌아올 거라고 생각해요." (284, 강헌)

강헌은 음악 평론가다. 좁혀서 말하자면 한국 대중음악계를 전공으로 하는 자유주의자에 속한다. 걸쭉한 경상도 사투리에 청중을 들었다 놓았다 할 수 있는 엄청난 반전의 유머를 잉태한 인물이다. 진중권의 질문은 살짝 도발적이다. 그는 21세기 이후 비평의 쇠퇴라는 현상은 음악뿐 아니라 모든 장르에서 일어나고 있는 현상이라고 강헌의 심기를 건드린다. 그러면서 대중음악 평론에 미래가 있는지를 되묻는다.

강헌의 설명은 적잖이 비관적이다. 음악이 아닌 이미지와 트렌드를 파는 시대에 과연 비평가가 필요할 것인가, 이벤트와 해외 공연이 주된 수입원이 되어 버린 한국 음악 시장에서 이를 뒷받침해 주는 자본과 상품을 제외하고 음악이 설 자리는 쉽게 찾아볼 수 없다는 게 강헌의 대답이다. 그는 솔직한 남자다.

그럼에도 강헌은 구력과 필력 모두를 갖춘 1세대 음악 평론가다. 강헌의 논리대로라면 한국의 음악 시장은 이미 1980년대 후반을 기점으로 종말을 고한 셈이다. 그렇다면 과연 누가 돈벌이 판이 되어 버린 음악 시장을 되살릴 것인가. 답은 『예술가의 비밀』에 오롯이 나와 있다.

진중권은 2018년 경향신문과의 인터뷰에서 86만 명의 팔로워를 끝으로 트위터를 접은 상태라고 말한다. 논객으로서의 일상에 피로감을 느꼈다는 고백이다. 그는 인문학의 시대가 텍스트에서 이미지로 변해 가는 21세기를 자연스러운 현상으로 받아들인다. 그렇다고 텍스트 자체가 자취를 감출 것이라는 비관론까지 내세우지는 않는다. 그는 가까운 미래에 인문 독서가를 중세 수도승처럼 취급하는 시대가 올 것이라고 예언한다. 책이 아닌 팟캐스트 전파력의 우위를 인정하는 발언이다.

일주일에 한 번 꼴로 강의를 한다는 논객 진중권. 인문학에 대한 사명감은 전혀 없고 오직 돈을 위해 강단에 선다는 발언이 눈에 띈다. 학자 출신 특유의 솔직함에 대한 강박이 엿보인다. 반대로 자신의 정체성은 논객도 방송인도 아닌 작가라는 말이 물음표를 남긴다. 이는 방송 출연과 강의라는 돈벌이를 위한 활동으로는 인간 진중권의 정체성을 설명할 수 없다는 해석이 가능하다. 그렇다면 그의 발언에 집중하는 시청자와 수강생은 진중권의 허상을 접한다는 말인가. 오로지 그가 배출하는 텍스트의 집합체인 책만이 가치 있는 소통의 도구일까.

꼬리에 꼬리를 무는 궁금증은 이 정도에서 접기로 한다. 미학자이자 방송인이자 강연자라는 진중권식 가치 체계의 변화에서 진보 사회를 향한 헌신이라는 일관성만을 고집하기에는 무리가 따를지도 모르니까.

19. 가볍게 읽기엔 조금은 무거운

마음에서 마음으로 (이외수)

직장에서 6개월간의 어학연수 기회가 주어졌다. 영어권 국가라면 지역과 학교는 마음대로 정할 수 있었다. 런던, 시애틀, 보스턴을 저울질하다 미국인 친구에게 자문을 구했다. 친구가 말하기를 '너 음반 수집이 취미지? 그렇다면 무조건 보스턴이야. 그곳에는 적어도 20군데 이상의 레코드점이 있으니까. 너처럼 운전을 하지 않는 사람한테 안전한 도시이기도 하고.' 더 이상 고민할 필요가 없었다.

미국 보스턴대학교에 입학 신청서를 내고, 수감자 면회실처럼 생긴 흉물스러운 광화문 미 대사관에서 인터뷰를 하고, 주경야독의 자세로 영어 공부에 매진했다. 벌써 20년 전의 일이다. '열심히 해봐.' 미래의 시인을 꿈꾼다는 파란 눈의 친구가 미국행을 축하해 줬다. 합격 통지서를 받고 여행 가방을 싸는데 문득 고민거리가 생기더라. 다름 아닌 객지에서 감내해야 하는 한국어에 대한 갈증이었다.

딱 1권만 한국어 책을 챙기기로 했다. 보관 중인 도서에서 6개월을 함께 할 책을 고르기란 쉽지 않았다. 머릿속에는 서재를 메운 책들이 적운처럼 부유하고 있었다.

선택의 주인공은 이외수의 초기작 『꿈꾸는 식물』이었다. 보스턴의 허름한 대학 기숙사에서 읽는 이외수의 장편소설은 적잖이 신선했다. 하루 종일 영어로 말하고, 영어로 생각하고, 영어를 듣는, 미국 문화의 일원처럼 보냈던 어학연수 과정이었다. 신기하게시리 꿈에서도 영어가 들리더라. 언어가 문화 지배의 가장 강력한 수단이라는 말이 틀리지 않음을 피부로 느끼던 시간이었다. 그 반대편에서 나를 지켜 준 고마운 책이 바로 『꿈꾸는 식물』이다. 대학 시절부터 서른의 마지막 날까지 이외수는 즐겨 읽던 작가군의 한 명이었다.

마흔 무렵 시작한 대학원 공부 덕분에 소설 읽기를 멈춰야 했다. 그 빈자리에 문화 이론서와 역사서가 자리를 차지했다. 자연스럽게 이외수는 서서히 잊혀 간 작가로 남는다. 가끔씩 그의 글 자국이 수면 위로 떠올랐다. 이외수의 분신인 『벽오금학도』, 『칼』, 『황금비늘』이 신기루처럼 망막을 스쳐 가던 순간이었다. 그것은 마치 고비사막을 헤매는 도시인이 발견한 작은 오아시스와 흡사한 기억이었다. 그때마다 더 이상 '이외수 월드'에 빠지지 않기 위한 독서가의 일상을 반복했다.

만날 사람은 언젠가 만난다는 말이 있다. 여기에서 사람을 책으로 바꾼다면 보다 명쾌한 잠언이 될 수 있다. 책에도 주인이 있다. 게다가 책은 주인을 배신하지 않는다. 단지 책을 배신하고 방치하는 엉터리 주인이 존재할 뿐이다. 이외수의 『마음에서 마음으로』를 읽었다. 이외수와 하창수의 인터뷰집이었다. 사실 기대감보다는 약간의 의무심이 발동했다. 오랫동안 연락을 끊었던 친구를 어렵게 다시 만나는 기분으로 책을 펴들었다.

내가 생각하는 이외수는 지식의 깊이보다는 감각과 통찰로 글을 다스리는 작가였다. 그는 이성보다는 본능에 충실한 글쟁이였다. 그의 감칠맛 나는 언어 감각과 독자의 눈높이에서 풀어내는 수더분한 말맛을 좋아했다. 하지만 거기까지였다. 다양한 문화 이론서를 접하면서 이외수는 점점 잊혀 간 추억이 되었다.

> "개성이 뚜렷한 예술을 한다는 건 사막에서 콩나물을 키우는 것과 같다. 지연이나 학연을 따지는 편벽한 예술환경에서는 살아남을 수가 없는 일이다. 그렇다고 모두 죽는 건 아니다. 지극히 드물지만 사막에서 콩나물이 자라기도 한다. 그 콩나물이 진짜 예술이다." (29)

여기서 말하는 콩나물은 이외수 자신의 글을 의미한다. 이외수는 1972년 강원일보 신춘문예에 소설 「견습어린이들」로 등단한다. 6개월간 밀린 방값을 갚기 위해 쓴 작품이었다. 아쉽게도 한국 문단의 낡은 관행과 패거리 문화는 이외수를 받아들이지 않았다. 지방지란 이유로 정식 등단으로 인정하지 않는다는 놀부 심보가 발동한 것이다. 일본식 등단 제도에서 영향을 받은 문학계의 관행은 반세기가 지나도록 크게 달라진 구석이 없다. 졸업하는 날까지 단편 4~5개를 가지고 제목을 바꾸고 문장을 다듬고 등장인물을 손대면서 주요 일간지나 문예지 등단을 지상목표로 삼는 예비 작가가 적지 않다는 사실이 이를 증명한다.

이외수는 이후 문예지에 「훈장」이라는 중편으로 신인문학상을 거머쥔다. 김현, 김윤식 등 내로라하는 문학 평론가의 극찬에도 이외수는 문단 정치와는 거리를 두는 작가의 길을 선택한다. 당연히 신인 작가 이외수의 삶은 거칠고 외로웠다. 이외수의 독고다이식 창작 인생은 뒤늦게 대중으로부터 지지를 받는 기현상이 발생한다. 문단이 아닌, 문학 애호가의 날카로운 눈매가 이외수를 인정해 준 사건이었다.

> "독서를 가장 왕성하게 한 때는 30대 초반이었다. 하루에 한 권 이상 읽지 않으면 잠을 자지 않았다." (106)

이외수의 글은 자유롭다. 신자유주의라는 망령이 전 세계를 휩쓸고 있는 지금, 자유라는 어감이 퇴색했다지만 이외수의 작품만큼은 예외로 하고 싶다. 한때 이외수의 글이 오쿠다 히데오처럼 독서를 생략한 글쓰기가 아닌가 의심한 적이 있었다. 언제부터인가 그의 글이 가볍게 읽힌다는 이유가 의심의 배경이었다. 이에 대한 이외수의 답변은 간명하다. 독자가 수시로 독서를 중단하고 단어의 의미를 찾아야 하는 책이라면 존재의 이유가 없다는 설명이다. 참고로 신인 작가 시절의 이외수는 탈고 후 수십 차례에 걸친 퇴고를 반복했다. 작가로서의 집요함이 돋보이는 대목이다.

책 『마음에서 마음으로』는 인터뷰집답게 글의 생동감이 넘치고 작가에 대한 선입견을 깨뜨릴 만한 내용이 적지 않다. 이외수는 다독가다. 그는 아무리 만취한 상태라도 하루 1권 이상의 독서를 수행한다. 어떤 날은 3권에 달하는 독서를 했다고 하니 연간 500여 권의 독서를 해낸 셈이다. 연간 300권의 독서를 목표로 하는 나보다 무려 200권을 더 읽은 셈이다.

그는 난해한 이론 서적을 편한 마음으로 읽는 편이다. 마음속에 새겨 놓으면 이를 뒤엎는 학설이 나올 때까지 사용가치가 있으니 부담이 적다고 한다. 오히려 끊임없이 쏟아지는 창작물에 대한 독서가 만만치 않다고 말한다. 단, 자기 계발 서적은 읽지 않는다. 이유는 생략해도 무리가 없을 듯싶다.

"열등인자를 가졌다고 스스로 불행한 존재라거나 무가치하

다고 생각할 필요는 없다. 우수인자들은 그들대로 열등감을 가지고 있다." (185)

이외수는 존재하는 모든 것에 가치를 둔다. 마치 선인이나 은자의 태도를 보는 기분이 든다. 그는 우열이란 물리적 능력치를 가늠할 뿐, 가치의 크고 작음을 나타내는 방식은 아니라고 말한다. 그의 글을 읽고 나면, 온천물에 발을 담그고 있는 듯한 개운한 느낌이 전신을 지배한다.

그는 여전히 지적 일탈을 즐긴다. 이 작가는 지배받고, 조종당하는 일상을 당연하게 받아들이는 무기력한 현대인에게 경고한다. 지금 먹고 싶은 걸 먹고, 자고 싶을 때 자고, 하고 싶은 걸 하고, 하기 싫은 일을 하지 않기 위해서, 얼마나 먹고 싶은 걸 못 먹고, 얼마나 자고 싶을 때 자지 못하고, 얼마나 많은 하기 싫은 일을 했는지를 생각해 보라고. 트위터 대통령의 목소리는 명징하면서도 간결했다.

이외수는 최근 건강과 가정사로 어려움을 겪고 있다. 그는 언론과의 인터뷰에서 특유의 존버 정신으로 위기를 극복하겠다고 공언했다. 이제 그는 문학계 원로의 위치를 점하고 있다. 당연한 이야기지만 후배 작가에게 귀감이 될 만한 좋은 작품을 계속 발표해야만 한다. 모름지기 작가란 쓰고 고치고 읽는다는 현재형의 존재여야만 하기 때문이리라. 강원도산 꿈꾸는 식물의 건필을 빈다.

20. 인문 독서가의 저공비행

로쟈의 인문학 서재 (이현우)

이현우는 러시아문학 연구자인 동시에 서평가로 활동하는 인물이다. 4년 전에 정동 프란체스코회관에서 그의 강의를 들어 보았다. 차분한 어조로 문학사를 강의하는 자리였다. 청강생 모두가 약속이나 한 듯이 진지한 태도로 그의 목소리에 귀를 기울이고 있었다. 당시 감정의 기복이 느껴지지 않는 느린 어투로 인문학을 설파하는 전문 서평가를 만나는 느낌이었다.

그의 별명은 '로쟈'다. 도스토옙스키의 고전 『죄와 벌』에 등장하는 로지온 라스콜니코프의 애칭을 자신의 아바타로 삼았다고 한다. 로쟈는 2000년대 초반 인터넷 서점 알라딘에서 서평을 시작하면서부터 본격적인 인터넷 서평 쓰기를 시작한다. 2007년 이현우는 일간지에서 '인터넷 서평꾼'이라는 기사가 등장하면서 본격적으로 자신의 이름을 알린다.

서평가란 무엇일까. 이현우에 의하면 서평가란 어떤 책을 읽고 싶도록 하거나, 읽은 척하게 하거나, 안 읽어도 되도록 도와주는 역할을 하는 존재라고 설명한다. 재미있는 설정이다. 이는 양서에 대한 일종의 감별사, 도선사 역할에 해당한다. 다시 말해 이현우가 해석하는 서평이란 어떤 책을 읽지 않은 예비 독자에게 읽을 것이냐 말 것이냐를 판단하는 자료를 제공하는 행위다. 그가 해석하는 서평이란 책에 관한 안내 이상도 이하도 아닌 비평의 하위 단계에 속한다.

이현우의 글은 초겨울 날씨처럼 단정하면서 건조하다. 그의 서평이 늘 차분한 어조로 이어지는 이유는 간단하다. 서평에서 자신의 주장을 최대한 정제하기 때문이리라. 자칫하면 개성이 없다거나 호불호가 분명하지 않다는 인상을 줄 수도 있다. 하지만 그는 우직하게 독자들에게 책을 안내하는 지식 중개자 역할을 해낸다. 무려 20년간 강사이자 서평가로서 한 우물을 판 결과다.

그가 운영하는 책 블로그의 이름은 '로쟈의 저공비행'이다. 책 좀 읽는다는 이에게는 친숙한 블로그다. 이현우식 서평의 두 번째 특징은 이른바 '겹쳐 읽기'다. 예를 들어 '느린 독서'라는 주제로 서평을 쓴다면 다음과 같다. 로쟈의 블로그에 세 종류의 책이 등장한다. 『천천히 깊게 읽는 즐거움』, 『슬로 리딩』, 『책을 읽는 방법』, 이런 식으로 도서를 배치한다. 여기에서 다시 가지치기를 시도한다. 『독서력』이라는 책의 저자인 사이토 다카시의 어구를 가미한다. 다음에는 사이토 다카시의 책 『공부의 힘』, 『세계사를 움직이는 다섯 가지 힘』이 빠질 수 없다.

결국 독자는 1페이지 분량의 화면에서 무려 6권의 책을 만난 셈이다. 그렇다면 도대체 로쟈는 얼마나 많은 책을 읽는 것일까. 놀라지들 마시라. 2014년 7월 『아시아경제』 인터뷰에 의하면, 그가 1년간 만지작거리는 신작만 해도 무려 2,000여 권에 달한다. 매주 서평을 위해서 출판사에서 보내 주는 책이 20~30여 권이며 매월 스스로 구입하는 책값이 200만 원에 달한다. 1년에 10권 미만이라는 평균 독서량을 보이는 한국인에 비해 200배에 달하는 천문학적인 독서량이다.

> "진정한 좌파가 되기 위해선, 모성을 버리고, 부성도 버리고, 인간성 자체를 버릴 수 있어야 한다. 그럴 때 비로소 우리는 유토피아의 '행복'을 누릴 수 있는 자격을 얻게 되리라." (87)

이현우가 좌파의 한계성을 지적하는 글이다. 그는 좌파든 우파든 결국 유토피아를 향한 통과의례에 불과하다고 말한다. 여기서 발생하는 '작은 차이'를 용납하려 들지 않는 이데올로기란 허구에 가까운 존재라고 이현우는 꼬집는다.

공감할 만한 대목이다. 목표 의식이 강한 자에게 나타나는 현상을 떠올려 보자. 즉, 강박관념이나 결과에 대한 결벽은 인간을 편견에 빠뜨리는 무기로 둔갑하기 쉽다. 이현우는 현재의 인간 조건이 담보되지 않는 좌파니 우파니 하는 논리는 의미가 없다고 말한다. 진보가 변화와 변혁에 대한 요구를 의미할 때 가장 먼저 앞장서야 하는 것은 당연히 인간 자신이며 인간 조건이라고 저자는 말한다. 이러한 이현우의 '탈이데올로기적' 시각은 초인적인 독서를 통한 단련에서 나왔음이 분명하다.

> "김기덕 영화의 힘은 사회적 추방자들의 야생적 삶에 대한 묘사에서 나온다. 이건 현재로선 그가 가장 잘할 수 있는, 혹은 그만이 할 수 있는 부분이다." (178)

만약 로쟈가 서평가가 아닌 영화 평론가였으면 어떠했을까. 술을 포함한 사교 활동을 줄여 가면서까지 살인적인 독서량을 유지하는 저자가 영화에까지 손길을 뻗치기란 쉽지 않을 것이다. 하지만 그는 이미 훌륭한 영화 평론가의 자질을 지니고 있다. 얄팍한 내공으로 인기몰이식 껍데기 영화평을 늘어놓는 평론가에 비하면 출발점 자체가 다르다.

이현우는 영화평에서도 한국 영화에 대한 첨언을 게을리하지 않는다. 예를 들면, 홍상수의 영화는 인간관계에 대해서 극단적인 회의론적 입장을 유지한다고 말한다. 실제로 영화 〈여자는 남자의 미래다〉에서 3명의 등장인물은 모두 혼자가 된다. 이와 반대로 박찬욱의 영화 〈올드보이〉에서는 한 남자를 위협하던 악은 제거되고 불완전한 상태로 이어지는 가정을 묘사한다고 말한다.

> "들뢰즈 철학에 대한 단정적인 서술이므로 주의할 만한 대목처럼 읽히지만, 문제는 제멋대로의, 보다 정확히는 정반대로의 번역이라는 것. 원문은 이렇게 돼 있다." (385)

난해한 글쓰기로 유명한 들뢰즈의 한글 번역본에 대한 지적이다. 이현우의 펜 끝은 한국 출판 시장의 열악한 번역 문화에 대한 의견으로 향한다. 실제로 이현우는 번역 문화에 대한 비판으로 송사에 휘말린 경험이 있다고 토로한다.

번역 수준의 향상은 번역서 출판 시장의 발전에 기여할 수 있는 촉매제다. 누군가가 시도해야 할 '고양이 목에 방울 달기'를 로쟈 이현우가 맡았다는 면에서 응원을 보내고 싶다. 다윗과 골리앗의 싸움의 최종적인 심판관은 독자다. 번역서를 접하는 독자의 눈높이에 부합하는 번역서가 많이 나오기를 염원해 본다.

> "러시아인들이 대개 그렇듯이 나도 주정적인 면이 강하다.

한데, 그러한 면이 걸러지지 않은 채로 드러나는 걸 혐오하는 편이다." (421)

책 소개를 하는 텔레비전 방송에서 처음으로 이현우를 보았다. 방송 공동 진행자인 김어준과 함께 등장한 내성적인 서평가 이현우. 감각적인 발언에 능숙한 김어준은 이현우의 박식함 앞에서 긴장을 감추지 못한다. 김어준이 전문 서평가 앞에서 자주 말문이 막히는 모습을 보면서 새삼스레 다독의 위력을 절감했다. 책과 세상에 대해서 조밀하게 의견을 풀어놓는 이현우의 모습이 지금도 생생하다. 그는 주지주의자의 면모를 갖춘 서평가다.

그런데 이현우에 관한 느낌에 반전을 고하는 글이 바로 위에 등장한다. 스스로 주정적인 면이 강하다는 자평에 고개가 갸웃거려진다. 강의 방식, 어투, 표정, 글에 이르기까지 무엇 하나 감상적인 부분이라고는 느낄 수 없었는데 말이다. 속단은 금물이다. 그의 전공 분야가 문학임을 깜박했다. 아무리 포스트모더니즘과 사소설의 영향이 크다지만 아직까지 문학의 주인공은 인간이 아니던가. 휴머니즘을 생략하거나 무시한 문학은 인간을 구원하지 못할 가능성이 높다.

그렇다면 이현우가 말하는 좋은 책이란 무엇일까. 정답은 꾸준히 독자를 불편하게 만드는 책이다. 매력적인 답변임을 인정한다. 불편함의 미학에서 얻는 깨우침이란 영혼을 흔드는 요람과 다르지 않으니까. 오늘도 로쟈의 불편한 독서는 멈추지 않는다. 마침내 세상의 모든 책을 읽어치우는 그 날까지 이현우의 날갯짓은 계속된다. 인문 독서의 미래는 이현우를 비롯한 세상의 모든 독서가의 손끝에 달려 있다.

제3장

우리는 모두 하나의 구름이었다

21. 존재하지 않는 서양

문화와 제국주의 (에드워드 사이드)

9.11 사태는 미국 발 팽창주의 전략을 강화시키는 엉뚱한 결과만을 낳는다. 테러리즘이란 전쟁 행위에 준하는 폭력 수단이다. 사건의 초점은 왜 이슬람 강경파로 추정되는 이들이 미국을 공격했느냐가 아니었다. 이슬람권을 제외한 세계 매스컴은 코털이 뭉텅이로 뽑힌 미국산 호랑이의 눈치를 보느라 분주했다. 결국 부통령 딕 체니를 중심으로 뭉친 미국 정부는 이라크에게 발톱을 세우기로 작정한다.

베트남전 패배 이후 미국의 전쟁 수칙은 가급적 전투력이 강한 국가와의 전면전을 피한다는 전략이었다. 그렇다고 미국의 패권주의 정책이 근본적으로 변한 상황은 아니었다. 평화주의니 뭐니 하는 호혜적 원칙은 고사하고, 미국의 속내는 자신들의 이익에 반하는 국가는 가차 없이 제압한다는 것이었다. 단지 국제적 망신을 사전에 차단하기 위해 만만한 적대국이 나타나면 본보기로 한 놈만 패는 아웃복싱을 구사하겠다는 속셈이었다. 그 상대가 하필이면 이라크였다. 게다가 세계 2위의 매장량을 자랑하는 산유국이니 일타이피의 효과는 말할 것도 없었다.

그런데 문제가 있었다. 속전속결로 전쟁을 마쳐야 하는데, 주변국의 눈초리가 예사롭지 않았다. 결국 이번에도 월남전의 효시인 통킹만 사태처럼 적당한 핑곗거리가 필요했다. 미국 정부는 이라크를 무지막지한 악당으로 몰아세워야 하는 상황극에 골몰한다. 곰곰 생각해 보니 그럴싸한 이유가 떠오르더라. 아버지 부시가 말아 드신 걸프전의 기억, 전쟁 국가라는 오명, 화학무기를 제조한다는 가상 이론, 게다가 미국을 포함한 서방 국가와는 종교가 다르다는 이질감까지 추가한 미국은 프랑스를 비롯한 유럽 강대국을 설득하기 시작한다.

왜 미국인은 이슬람을 부담스러워하는 것일까. 왜 유럽인은 동서양의 구분 짓기에 골몰하는 것일까. 왜 그들은 자신의 문화가 무조건 우월하다고 고집을 부리는 것일까. 의문에 대한 정답은 에드워드 사이드(Edward Said)의 역작 『문화와 제국주의』에 담겨 있다. 사실 9.11 이후 주목을 받은 책은 에드워드 사이드의 『오리엔탈리즘』이었다. 오리엔탈리즘이란 동양 문화에 대한 의도적이고 악의적인 '내려다보기'를 의미한다. 부언하자면 이는 동양에 대한 착취와 지배를 정당화하기 위한 비뚤어진 이데올로기에 해당한다.

소개하는 책 『문화와 제국주의』는 『오리엔탈리즘』의 후속타이다. 『오리엔탈리즘』이 주로 이슬람 국가에 대한 서양의 비뚤어진 시각과 역사관을 다뤘다면, 『문화와 제국주의』에서는 동서양의 갈등을 넘어서 미국을 포함한 제국주의 국가의 뒷모습을 적나라하게 파헤친다. 이를테면 전작의 확장판이라고 정의할 수 있다.

그렇다면 에드워드 사이드의 약력을 살펴보자. 그의 전공은 비교문학이다. 대학에서 그는 서양 문학에서 나타난 오리엔탈리즘 현상에 집중한다. 『문화와 제국주의』의 시작은 조셉 콘라드(Joseph Conrad)의 소설 『암흑의 핵심』과 이어진다. 저자 에드워드 사이드는 1935년 팔레스타인의 예루살렘에서 태어난다. 이후 자신의 고향이 이스라엘로 바뀌자 이집트로 이주한다. 다시 1950년대 말에 미국으로 거처를 옮긴 에드워드 사이드는 하버드 대학교에서 박사학위를 받는다. 그는 컬럼비아 대학교 영문학, 비교문학 교수와 하버드 대학교 비교문학 객원교수로 지내며 문화이론가, 문학비평가, 사회운동가로 치열한 시간을 보낸다.

지역과 인종이라는 태생적인 차별의 경험은 지식인의 세계관에 치명적인 영향을 미친다. 행동하는 지식인으로 알려진 에드워드 사이드는 아카데미즘과 저널리즘을 넘나드는 전방위적 글쓰기로 악의적인 구별 짓기에 골몰하는 지배 세력에게 경종을 울린 진보적인 지식인이다.

"대부분의 인문학자들은 노예제도나 식민주의나 인종적 억압이나 제국주의적 종속 같은 오래되고 야비하여 잔인한 행위와 그러한 행위와 연관되어 있는 시나 소설이나 철학을 연결시키지 못한다." (24)

『오리엔탈리즘』과 마찬가지로 『문화와 제국주의』 역시 묵직한 분량을 자랑한다. 짧은 글에 익숙한 현대인에게는 부담스러운 책이지만, 오리엔탈리즘의 중심에 서 있는 한국인이라면 반드시 읽어 봐야 할 문제작이다.

에드워드 사이드는 19세기 영국 리얼리즘 문학이 제국주의 문화를 반영하고 있다고 지적한다. 유명 작가인 찰스 디킨스(Charles Dickens)와 조지 엘리엇(George Eliot), 조셉 콘라드, 러디어드 키플링(Rudyard Kipling) 역시 예외일 수 없다. 그는 오리엔탈리즘에 빠진 작가를 비판하는 데 그치지 않는다. 에드워드 사이드는 문화가 단순히 일상을 초월하는 데 존재한다고 믿는 그릇된 현상에까지 주파수를 넓힌다. 그는 문화란 현실과 단절한 존재가 아닌, 정치와 이념이라는 명분이 서로 뒤섞인 피식민 민족의 세계관을 바꾸는 힘이라고 정의한다.

"어떠한 책읽기도 특정한 텍스트, 작가 혹은 운동의 정체성을 무화할 만큼 모든 것을 일반화하면 안 된다." (139)

에드워드 사이드는 모든 지역이 지리적 특성을 지니고 있듯이, 문학에서 등장하는 다양한 텍스트는 겹치는 경험과 상호 의존적인 갈등의 역사라는 고유의 특성을 지닌다고 설명한다. 여기에서 문화의 부분집합인 문학이 예외일 수 없다고 저자는 말한다. 그는 어떤 문학작품이라도 확실해 보이는 텍스트가 논쟁의 대상이 될 수 있다는 여지를 남겨 놓아야 한다고 언급한다.

예를 들어, 알베르 카뮈(Albert Camus)의 대표작 『이방인』을 읽을 경우, 프랑스 식민주의의 역사와 알제리 정부의 파괴 그리고 이후 독립 알제리의 출현 모두를 읽어 내야만 한다는 것이다. 이는 문학과 역사의 조합에 관한 정치적인 담론에 해당한다. 실제로 카뮈는 알제리의 독립에 반대했던 인사다. 실존주의의 거장인 카뮈조차도 프랑스 식민주의의 유산인 알제리의 독립에 대해서는 개방적이지 못한 자세를 취했던 것이다.

> "나는 단순한 반민족주의 입장을 고수함으로써 오해받고 싶지는 않다. 민족주의가 가동성이 부여된 정체 세력으로서 비유럽 세계 도처에서의 서구 지배에 대한 투쟁을 선동하였고, 그 투쟁을 촉진시켰다는 것은 역사적인 사실이다." (383)

에드워드 사이드가 말하는 민족주의란 공동사회의 회복, 정체성의 주장, 새로운 문화 실천의 출현 등을 포괄적으로 의미한다. 그는 토착민이 겪어야 했던 비극의 역사, 즉 종족이나 종교, 공동체적인 정체감, 서구 침입에 반대했던 역사에 토대를 둔 민족주의 집단으로 결합의 필연성에 대해서 세계적으로 예외가 없었다는 데 방점을 찍는다. 이는 서구의 침략 행위가 20세기 들어 너무나 광범위하게 퍼진 데 대한 반응이라고 설명한다.

그는 전 지구적인 규모로 문화와 정체성의 혼합을 더욱 견고히 추구하고 있는 제국주의의 두 얼굴을 비난한다. 제국주의 최악의 모순적인 선물은 인류가 자신을 오로지 백인이거나, 흑인이거나, 서구인이거나, 동양인일 뿐이라고 믿도록 허락했다는 점이다. 하지만 생존이란 피부색과 지역을 떠나서 사물들 사이의 관계 짓기를 반복하는 과정이다. 결국 모든 인간적인 삶이 그랬듯이, 인간을 의도적으로 분리하고 변별성을 계속 강조할 이유가 없다는 점에 『문화와 제국주의』의 집필 의도가 있음을 저자는 밝힌다.

21세기를 살아가는 현대인에게 에드워드 사이드는 어떤 의미일까. 이 또한 지역과 인종과 역사에 따라 다른 해석이 가능할 테다. 수백 년간 이어진 인종과 종교를 매개로 한 분리 정책의 악순환은 여전하다. 인간의 피부색과 출생지는 인위적으로 바꿀 수 없다. 인간은 차별과 억압이 비과학적인 토대에서 이루어지는 이상한 첨단 기술의 시대에 살고 있다. 인간으로서 고민해야 할 가장 근본적인 사유조차 허용하지 않는 암울한 폭력의 시대가 유지되는 한 에드워드 사이드의 글은 인문 독자의 서재에서 사라지지 않을 것이다.

22. 하룻밤에 읽는 남미의 역사

불의 기억 3권 (에두아르도 갈레아노)

마흔 즈음이었다. 가벼운 마음으로 인터넷 서점에서 에두아르도 갈레아노(Eduardo Galeano)의 책을 구입했다. 처음 접하는 갈레아노의 책읽기가 놀라움과 경탄으로 이어지는 데까지 걸린 시간은 불과 5분뿐이었다. 놀란 가슴을 부여잡고 『불의 기억』 1권을 하룻밤에 읽어 치웠다. 아니, 도저히 손을 뗄 수가 없었다. 읽다 보니 『불의 기억』은 화장실에 갈 때도 모시고 가야 하는 놀라운 책이었다.

소설이니 역사니 하는 장르 구분 자체가 모호한 갈레아노의 책 『불의 기억』은 3권으로 만들어진 시리즈물이다. 갈레아노 덕분이었다. 『불의 기억』 덕분에 장르에 관한 고정관념이 사라졌다. 연대순으로 집필한 관계로 가급적 1권부터 읽기를 권하지만, 분량이 다소 부담스럽다면 20세기를 무대로 한 3권을 먼저 읽어도 된다. 중요한 건, 어떤 역사서든지 쉬지 않고 읽는 거다.

혹시 주변에서 14살 먹은 진보주의자를 본 적이 있는가. 좌파니 진보니 하는 발언은 적어도 20살을 넘겨야 가능하다고 생각하는 이가 있다면 그야말로 '연식이 오래된 사람'이다. 예를 들어 프랑스는 중학교 수업 시간에 자신을 좌파라고 여기는 학생 집단이 우파와 자연스럽게 토론을 펼치는 국가다. 문화 선진국이기에 가능한 현상이라고 섣불리 판단할 일이 아니다. 이는 경제 후진국인 남미 국가에서도 마찬가지니까.

소개하는 갈레아노는 우루과이 몬테비데오에서 태어났다. 우루과이, 하면 여타 남미 국가처럼 축구를 떠올릴지도 모르겠다. 갈레아노는 14살 때부터 진보 일간지에 풍자만화를 연재한다. 자신의 손으로 남미의 역사를 저술하는 작업을 10대 무렵부터 시작한 것이다. 부모가 주도하는 학원 수업을 따라가기에도 바쁜 한국 학생과는 비교 자체가 불가능한 경험의 시작이었다.

21세에는 정치 주간지의 편집장으로 재직한다. 이후 신문 논설, 서적 집필 등을 통해 남미의 굴곡진 현실을 파헤치는 데 주력한다. 갈레아노는 1973년 쿠데타 정권에 의해 투옥당하는 고초를 겪는다. 이후 아르헨티나, 에스파냐로 망명을 거듭하는 과정에서 아메리카 대륙의 초기에서부터 20세기에 이르기까지 다양한 역사적 인물들을 등장시키는 역작 『불의 기억』 시리즈를 완성한다.

『불의 기억』에 등장하는 인물은 실로 다양하다. 예술가,

혁명가, 노동자, 장군, 대통령, 종교인 등이 그들이다. 『불의 기억』 시리즈가 명품 반열에 오른 또 다른 이유는 언급했듯이 장르의 파괴에 있다. 그의 저술 작업은 에세이, 역사, 소설, 인물론이라는 전형적인 서사에서 과감하게 탈피한다. 한 페이지 분량이 채 안 되는 짧은 분량의 글쓰기는 다양한 장소와 시간을 축으로 여러 사건을 병치하는 파격적인 방식을 차용한다. 독자는 마치 남미대륙을 순간 이동하는 유체 이탈의 경험을 맛볼 수 있다. 자신의 글에 생명력을 불어넣는 저자의 필력이 인상적이다.

> "이 도시의 젊은 여자 열명 가운데 둘은 몸을 팔아서 산다. 치안은 질서이고, 질서는 발전이다. 법률은 이 많은 여자들의 직업을 규제한다." (50)

책에 등장하는 도시의 이름은 무엇일까. 정답은 2017년부터 국내 비행기 직항 노선이 생긴 멕시코시티다. 시대는 멕시코 독립 1백 주년의 해라는 1910년도이다. 당시 멕시코 매음법에 의하면, 매춘업을 하려면 건물 정면에 규정된 표시를 해야 했다. 학교나 교회 인근에서는 매춘업을 불허했다.

여기에서 놀라운 사실이 등장한다. 사회 계급이 다른 사람은 손님으로 맞이할 수 없다는 내용이다. 여기서부터 머리가 복잡해진다. 그렇다면 매춘부는 어떤 계급에 속할까.

자영업자, 육체노동자, 중인 계급이라는 예상이 나올 법도 하다. 당시 멕시코에서 활동하는 매춘부란 침대와 병원과 감옥 사이를 오가는 정도의 삶을 유지할 수 있는 최하위 계급이었다.

멕시코의 매음법을 조금 더 들여다보자. 매춘업에 종사하는 마담은 그녀와 함께 일하는 매춘부가 무리지어 길거리에 나가지 못하게 하여, 주변인의 관심을 끄는 일을 미연에 방지해야 한다고 되어 있다. 놀랍지 않은가. 직업이 매춘부라고 해서 단체 이동을 금지한다는 사실이 말이다. 직업으로 인간의 이동권을 통제한다는 일차원적 발상이 특이하다 못해 한숨이 나올 지경이다.

여기가 끝이 아니다. 멕시코에는 이보다 더 못한 취급을 받는 계급이 있었으니, 이들이 바로 원주민이다. 당시 멕시코의 대통령은 미스테코족 원주민 출신인 포르피리오 디아스였다. 그는 자신의 지시로 모든 원주민이 멕시코시티 거리를 활보할 수도 없고, 광장에 앉을 수도 없도록 제한한다. 따라서 원주민은 매음집에 가는 것을 상상조차 할 수 없는 버려진 계급이었다. 그 당시 멕시코는 미국에서 벌어지던 인디언 탄압이 그대로 재현되는 비극의 현장이었다.

한편 독립 1백 주년 기념 연회가 베풀어지던 멕시코 국민 궁전에는 프랑스 최고급 요리에서 뿜어져 나오는 냄새로 가득 차 있었다. 그곳에는 40명의 주방장과 60명의 조수가 저명한 프랑스 요리의 거장 실벵 도몽의 지휘 아래 음식을 만들었고, 무려 350명에 달하는 하인들이 그것을 날랐다고 저자는 고발한다. 계급 차별의 현장을 꼬집는 저자의 아래로부터의 역사관이 드러나는 대목이다.

> "범죄조직의 첫 번째 전국 회의가 프레지던트 호텔에서 열린다. 주요 도시에서 활동하는 갱단의 대표자들이 한자리에 모인다." (125)

어느 나라를 말하는 것일까. 질문의 정답은 미국이다. 장소는 애틀랜틱시티의 프레지던트 호텔이다. 시대는 금주법이 시행 중이던 1929년이다. 배우 알 파치노(Al Pacino)와 말런 브랜도(Marlon Brando)가 열연한 영화 〈대부〉의 한 장면이 실제 미국 한복판에서 벌어진다.

당시 미국의 갱단은 사업을 다각화하는 데 집중한다. 그들은 강탈, 살인, 매춘, 밀수만이 아니라 증류주 공장, 호텔, 카지노, 은행, 슈퍼마켓을 직접 소유하고 운영했다. 한국의 조폭 문화가 문어발식 사업을 펼치기 시작한 20세기 말의 풍경이 그곳에서 버젓이 벌어졌다. 그들은 무슨 연유로 회동을 벌인 걸까.

범죄 조직의 두목은 안정적인 사업 운영을 위해 서로 죽고 죽이는 피의 복수를 중단함과 동시에 전면적인 사면을 선언한다. 범죄 기업의 경영자는 평화를 보장하는 방법을 동원하여 미국 석유 사업의 사례를 그대로 자신의 사업에 반영한다. 그들은 일반 기업과 다름없이 시장을 구분하고 거래 가격을 고정시키고 작은 이권을 놓고 경쟁을 벌이지 않기로 합의한다. 갈레아노가 바라본 미국의 마피아는 자본주의 시장 법칙에 충실한 영리기업과 다름없는 이익집단이었다. 이들은 폭력과 불법 수단이 보다 강화된 일종의 신디케이트였다.

> "지난해, 쿠바에 상륙하려던 게릴라들이 거의 모두 기관총에 쓰러졌을 때 그는 총과 구급상자 중 하나를 택해야 했다. 그는 총을 집었다. 지금 그는 자신이 진정으로 믿을 수 있는 유일한 수술도구인 낡은 톰슨 소총을 쓰다듬고 있다." (241)

마지막 문제다. 이곳은 쿠바 옴브리토이다. 위 문단에서 등장하는 '그'는 바로 체 게바라(Che Guevara)다. 갈레아노가 바라본 체의 모습은 어떠했을까. 그는 체 게바라를 마테차와 풍자를 즐기는 아르헨티나인의 특성을 잃지 않은 의사이자 아메리카의 나그네라고 말한다. 체 게바라는 과테말라가 미 군부에 의해 정복된 뒤에 멕시코에서 길거리 사진사와 과달루페 성모의 판화를 파는 행상으로 생계를 잇다가 카스트로 군대에 합세한다. 1961년 미국은 CIA의 주도 하에 쿠바 침공을 시도하지만 실패로 끝나고 만다.

갈레아노의 시선은 남미의 굴곡진 역사를 좌시하지 않

는다. 당연히 남미의 배후 조종 세력인 미국의 집요한 통치 전략의 허상을 파헤친다. 만약에 남미에 수천 명의 복제 갈레아노가 존재했다면, 그곳은 어떤 모습으로 변했을까. 적어도 지금처럼 미국의 폭압에 휘둘리는 국가와는 전혀 다른 형태의 모습을 갖추었을 것이다. 아메리카 대륙은 변함없이 이원론에 휩싸여 있다. 미국과 남미라는 빛과 그늘의 모습이 그것이다. 내게 인생의 책을 꼽으라면 『불의 기억』 시리즈를 빼놓을 수 없다. 비바! 갈레아노.

23. 미술을 읽다

서양미술사 (E. H. 곰브리치)

책 『오리엔탈리즘』에서 동서양에 관한 의도적인 구분 짓기의 허상과 폐해를 말한 바 있다. 공교롭게도 이번에 소개하는 책 이름이 『서양미술사』다. 슬쩍 책을 들춰 보면 제목처럼 서양 미술 위주의 향연이 펼쳐진다. 그럼에도 1980년대 서울대학교 필독 도서 10선에 꾸준히 들락거렸던 책이 바로 에른스트 곰브리치(Ernst Gombrich)의 『서양미술사』다. 원제는 The Story of Art.

요즘이야 서점에 널린 책이 미술서라지만 곰브리치 할아버지가 『서양미술사』를 출간했던 1950년대만 해도 미술사에 근거한 출판물을 접하기란 그리 쉽지 않았다. 미술 서적은 일반 서적에 비해 판매 부수가 저조하다는 출판계의 정설이 있다. 사실이다. 미술책은 3~5천 부만 팔려도 대박에 속한다. 게다가 컬러 화보와 비싼 재질을 선택해야 하는 관계로 일반 서적보다 비싼 가격에 출간하는 특징이 있다. 따라서 미술 서적 2천 부가 팔렸다면 일반 서적 4천 부에 해당하는 효과가 있다.

어쨌거나 곰브리치의 『서양미술사』는 음악으로 따진다면 베토벤의 교향곡에 비교할 수 있을 정도로 미술 출판계의 전설로 통한다. 이 책은 무려 32개국에서 번역서로 재탄생했으며, 700만 부에 달하는 판매 부수를 기록한다. 일반 서적으로 비유한다면 1,500만 부에 이르는 초대형 베스트셀러 미술서의 탄생이었다.

안타까운 현상이지만 블록버스터 영화에만 눈과 귀를 쫑긋거리는 쏠림 현상은 출판 시장에서도 마찬가지다. 내용이고 뭐고 할 것 없이 베스트셀러에만 관심을 두는 독자군이 엄연히 존재한다. 때문에 많은 출판사가 순위 마케팅에 골몰하는 형편이다. 출판 시장의 열쇠는 독자가 쥐고 있다. 결국 열혈 독자의 점유율이 높아질수록 출판 시장은 다양성을 띠기 마련이다. 아는 만큼 읽는다고 하지 않았던가.

미술 감상이라는 취미는 고급문화의 향유라는 인식이 강하다. 클래식 음악 감상처럼 초보 독자의 진입 장벽이 만만하지 않다는 말이다. 부분적으로는 동의하지만, 한편으로 안타까운 마음이 드는 게 사실이다. 미디어의 발전으로 이제는 미술 영역도 일반인이 접하는 데 있어 비용 부담이 전제가 될 수 없다. 진품 소유에 대한 욕망만 제거한다면 말이다. 발터 벤야민이 말했듯이, 현대는 기술 복제의 예술 작품이 판을 치는 시대가 아니던가.

경제 빈국의 수렁에서 탈출한 지 오래지만 한국은 여전히 책 구입이나 문화 관람에 관한 소비 자체를 꺼려 하는 문화 후진국의 형태에서 벗어나지 못하고 있다. 하룻밤 술값이나 명품 구매는 아무렇지 않게 여기면서 전시회 입장료는 부담스러워하는 현상이 언제까지 지속될지 모르겠다. 게다가 인문서나 예술서라면 경기부터 일으키는 현상은 출판 시장을 고사시키는 암초와 다름없다.

> "미켈란젤로가 인체의 묘사에 있어서 최고의 경지에 도달했다고 인정되듯이, 라파엘로는 이전 세대의 화가들이 이룩하려고 그처럼 노력했던 것, 즉 자유롭게 움직이는 인물들을 완벽하고 조화롭게 구성해낸 것으로 인정되고 있다." (319)

16세기 초 이탈리아 미술에서 반드시 기억해야 할 3명의 예술가가 있다. 레오나르도 다빈치(Leonardo da Vinci), 미켈란젤로(Michelangelo) 그리고 라파엘로(Raffaello)다. 곰브리치는 1504년 미켈란젤로와 레오나르도 다빈치가 피렌체에서 서로 경쟁 관계에 있던 시절, 한 젊은 화가가 그곳에 등장했다고 전한다. 그가 바로 라파엘로였다. 라파엘로는 다빈치와 같은 광범위한 지식을 갖지 못했다. 게다가 미켈란젤로와 같은 빛나는 예술 경력도 전무했다. 다행히도 라파엘로에게는 대가의 화풍을 빠르게 익히고 소화해

내는 재능이 있었다.

『곰브리치 세계사』에 의하면, 당시 이탈리아 시민은 예술의 도시 피렌체에서 세상, 인간의 능력, 아름다운 사물과 고대 유적지, 그리스 · 로마의 고전을 읽는 즐거움을 새롭게 배워 나간다.

이 대목에서 '미술의 어려움'이 등장한다. 미술이란 당대의 역사적 배경에 대한 기초 지식 없이는 즐기기 쉽지 않은 장르이다. 고로 작품에 대한 해석은 곧 당대 역사를 설명해 주는 일종의 지표였다. 그러한 작업의 주인공이 오스트리아 출신의 미술사가인 곰브리치였다.

> "전통과의 단절은 화가들에게 터너나 컨스터블의 작품에서 구체화된 두 가지 가능성을 열어주었다. 그들은 붓과 물감으로 시를 쓰는 시인이 되어 감동적이고 극적인 효과를 추구할 수 있었다." (497)

저자는 1789년에 발발한 프랑스 대혁명으로 미술에 대한 관념이 변화했다고 말한다. 프랑스 대혁명은 '이성의 시대'의 도래를 의미한다. 곰브리치는 변화의 외곽에 영국이 있었다고 설명한다. 당시 영국을 상징하는 두 명의 화가로서 윌리엄 터너(William Turner)와 존 컨스터블(John Constable)이 있었다. 곰브리치는 2명의 화가 모두 전통적인 미술 양식을 거부했던 예술가라고 정리한다. 윌리엄 터너가 빛과 자연을 소재로 순간적인 이미지를 창조했다면, 존 컨스터블은 자연의 세밀한 묘사로 전통적인 미술 양식을 계승하였다.

> "이른바 현대미술에 대해 이야기할 때 사람들은 흔히 과거의 전통을 완전히 깨뜨리고 이제까지 아무도 시도하지 않았던 것을 하려고 하는 미술의 종류로 생각한다." (557)

곰브리치는 『서양미술사』에서 20세기 전반의 미술을 '실험적 미술의 시대'로 간주한다. 그는 현대미술에 대한 관점을 다음과 같이 서술한다. 첫 번째는 진보의 관념을 옹호하는 관점으로, 미술도 시대의 진전과 나란히 보조를 맞추어 나가야 한다고 믿는 진보사관적인 입장이다. 두 번째는 과거 중심적인 역사관에 집착하는 관점으로, 현대미술이 전적으로 잘못되었다고 보는 입장이다.

실제 위에서 언급한 두 가지 입장은 작금에도 미술 평론가를 중심으로 첨예하게 대립하고 있다. 예를 들어, 앤디 워홀(Andy Warhol)을 중심으로 알려진 팝 아트는 인상파 미술에 비해 열위에 있다고 주장하는 비평가가 존재한다. 이들에게 20세기 중반 이후의 미술이란 상대적으로 예술적 가치가 떨어지는 존재다. 미술 평론에도 취향에 근거한 다름과 차이가 드러나는 대목이다.

곰브리치는 두 가지 관점에 대해 언급할 뿐 비교 우위적인 발언은 자제한다. 그는 현대미술도 과거의 미술과 마찬가지로 시대에 대한 반응으로 존재할 것이라고 글을 마무리한다. 곰브리치에게 미술이라는 예술은 존재하지 않는 신기루에 해당한다. 그는 작품이 아닌 미술가가 존재할 뿐이라는 미술가 역할론을 내세운다. 결국 미술의 존재 여부는 미술가와 대중의 미술에 대한 관심과 태도 여하에 좌우된다는 의견이다. 실제 곰브리치의 도상해석학(Iconology)적인 저술은 국내에서 미술을 강의하는 이들에게 절대적인 영향을 미친다.

미술 공부의 지름길은 '많이 읽고, 많이 생각하고, 많이 보기'이다. 이 세 가지 과정을 거듭하면서 미술에 관한 자신만의 취향이 만들어지기 마련이다. 선택의 폭은 넓고 깊을수록 좋다. 그래야만 자신이 미처 몰랐던 미술 취향을 발견할 수 있다. 곰브리치라는 미술계의 상징은 그 아우라를 조금씩 잃어 가고 있다. 그가 미처 다루지 못한 현대미술이라는 거대한 파고가 현재까지도 건재하기 때문이다.

이제 미술은 자본이라는 타이탄으로부터 자유롭지 못한 존재로 추락했다. 아쉽게도 곰브리치는 미술의 산업화, 미술의 자본화에 관해 별 다른 언급을 하지 못했다. 한편, 일본의 팝아트 작가 무라카미 다카시는 2002년 루이비통과 연계한 미술 작업을 완수한다. 과시 소비의 정점이라 불리는 명품 산업에 미술가가 뛰어든 형국이다. 돈이라면 미술도 예외일 수 없다는 콜라보의 비극이 펼쳐진 셈이다. 곰브리치의 저술을 이어 갈 영민한 미술 평론가에게 남은 숙제가 무엇인지 명확해졌다. 상업자본의 그늘에서 미술이 살아가야 할 방향을 제시할 만한 현실적인 미술서가 필요한 시대다.

24. 문화 자본의 비밀을 파헤치다

구별짓기 (피에르 부르디외)

책 세상에는 두 가지 부류의 사람이 존재한다. 새 책을 찾는 사람과 헌책을 찾는 사람이 그것이다. 문득 그들의 정체성이 궁금해진다. 헌책을 찾는 사람은 독자와 수집가라는 경계를 넘나드는 자객이다. 그는 밤에는 점잖은 독자로 활동하지만, 낮이 되면 미친 듯이 헌책방을 떠도는 수집가로 돌변한다.

수집가의 출발점이자 정체성은 바로 독서가다. 처음에는 책을 읽는다. 점점 독서량이 늘어난다. 사고 싶은 책이 많아진다. 슬슬 남들이 소장하고 있지 않은 책에 관심이 간다. 이윽고 책장이 넘쳐 나기 시작한다. 가족의 눈치에도 아랑곳하지 않고 끝없이 책을 모아 댄다. 희귀본이나 초판본 서적이라면 지갑을 열어야 한다. 세상은 그들을 수집가라 부른다.

그렇다면 수집가가 애타게 찾는 희귀본의 정체는 무엇

일까. 수집가가 찾는 책의 특성에 따라 희귀본은 모습을 달리한다. 저자, 출판사, 발행 연도, 내용 등이 예가 되겠다. 오로지 수집에 목적을 가진 이라면 책의 장르가 필요하지 않을 테고, 관심 장르만 파헤치는 수집가라면 이야기가 달라진다.

여기 2000년대 초반에 활동했던, 대한민국 절판본 수집가의 애간장을 태웠던 책을 소개한다. 이름하여 『구별짓기』다. 1995년과 1996년에 상하권으로 새물결 출판사에서 나왔던 『구별짓기』는 프랑스 사회학자 피에르 부르디외(Pierre Bourdieu)의 최고작에 속한다. 인문서를 탐하는 이에게 이 책은 수집 목록의 맨 윗줄을 차지하던 수집학개론의 간판 스타였다.

박균호의 헌책 수집기 『오래된 새책』에 의하면, 『구별짓기』는 그의 절판 서적 구입 희망 목록에 등장하는 작품이다. 이후 2005년에 들어서야 『구별짓기』는 양장본의 판형을 갖추고 출판 시장에 다시 선을 보인다. 가격은 2권에 5만 원을 살짝 넘는, 수집광이나 독서광이 아닌 일반 독자에게는 만만치 않은 가격이다. 하지만 큰 마음먹고 구입을 한다면 오래도록 지적 쾌락을 누리는 기회가 주어진다.

제목의 어감도 흥미롭다. 무엇을 구별 짓기 하겠다는 말인가. 정답은 1,000페이지에 달하는 책 속에 있다는 상투적인 표현은 쓰지 않겠다. 어차피 직업, 재력, 외모, 가문 등으로 인간을 재단하는 '구별 짓기' 세상은 책이 쓰인

1970년대 후반이나 지금이나 별반 다르지 않기 때문이다. 세상은 인간에게 끊임없이 『구별짓기』를 요구한다. 구별은 불안을 낳고, 불안은 사회적 궤적 안에서만 맴도는 껍데기 인간을 양산한다. 남과 다르다고 자기최면을 걸어 보지만 나이가 들수록 평평해지는 자아를 발견할 뿐이다. 이게 바로 구별 짓는 세상의 부작용이요 병폐다.

묵직한 양장본에 인문서의 자태를 갖춘 『구별짓기』는 의외로 진도를 뽑기가 수월한 책이다. 소제목은 '문화와 취향의 사회학'이다. 독자와 타인의 취향, 직업, 태도라는 게 사실은 이미 정해진 굴레에서 형성되었다는 내용이다. 마르크시스트인 피에르 부르디외는 마르크스의 유령을 문화라는 테두리 안으로 끌어들인다.

> "다양한 문화 실천과 학력자본 그리고 이차적으로는 출신 계급 간에는 극히 밀접한 연관관계가 존재한다." (39)

간결한 문장 속에 피에르 부르디외의 대표적인 사상이 담겨 있다. 저자는 물질이라는 범주 속에서 인간의 계급이 결정지어진다는 마르크스의 유물론에 문화라는 레시피를 추가한다. 그는 회화나 음악 같은 극히 전통적인 영역으로부터 옷이나 가구, 요리 기구와 같은 극히 개인적인 영역, 그리고 학벌과 부모의 직업이 개인에게 어떤 영향을 미치는가에 연구의 초점을 맞춘다.

예를 들어 『구별짓기』 93쪽을 펴 보면 노인의 주름진 손등 사진이 등장한다. 노인 사진에 관한 프랑스 시민의 해석을 살펴보자. 우선 문화적으로 가장 빈곤한 계층으로 구분한 단순 육체노동자는 즉각적으로 사진에 대해 부정적인 반응을 보인다. 그들은 노인의 거칠어진 손등을 보면서 고된 노동에 대한 어두운 기억을 떠올린다.

다음은 파리에 거주하는 하급 사무직 종사자의 반응이다. 이들은 사진을 보면서 고흐의 작품을 연상하는가 하면, 스페인의 회화전을 떠올리기도 한다. 상대적으로 교육 수준이 높은 하급 사무직 종사자는 사진을 관찰하면서 노년 시기에 관한 화두, 알레고리, 상징 등을 연상한다.

마지막으로 파리의 상급 기술자다. 이들은 단순 육체노동자가 보였던 사진에 대한 극단적인 거부감이나 불쾌한 감정은 내비치지 않는다. 오히려 사진이 보여 주는 미학적 요소, 즉 노년이나 노동에 대한 상징적 가치를 예술로 승화시킨 촬영 기법에 관심을 보인다.

> "자유업 종사자나 상급관리직의 취향은 가볍고 섬세하며 세련된 음식을 선호하며, 무겁고 기름지고 거친 음식은, 부정적으로, 민중적 취향으로 규정한다." (338-9)

피에르 부르디외는 취향을 계급을 구분 짓는 중요한 화두라고 정의한다. 그는 옷, 언어, 음식 등 다양한 문화적 매개를 소재로 계급을 정의한다. 프랑스 파리의 문화 계급을 크게 프롤레타리아, 프티부르주아, 부르주아로 구분해 보자. 여기에서 예술, 영화, 문학에 대한 태도를 표현할 때 다음은 어떤 문화 계급을 상징하는 것일까.

엄숙하고 침착한 목소리, 느리고 경쾌한 말투, 거리감 있거나 자신에 찬 말투, 확신에 찬 미소, 절도 있는 제스처, 품위 있는 옷차림. 열거한 예를 보고 프롤레타리아의 태도라고 단정하는 이는 별로 없을 것이다. 이는 유럽 귀족 문화의 대체 계급인 부르주아를 연상시키는 표현이다. 저자는 이러한 분류 체계를 통해 문화에 대한 취향이 계급을 구분 짓는 결정적인 요소라고 설명한다.

> "재즈, 청바지, 록뮤직, 그리고 전위적 언더그라운드같이 그들이 독점하고 있는 미국 패션과 모델들을 정통적 문화에 대한 복수의 기회로 드러내게 된다." (655)

이제 『구별짓기』 하권을 살펴볼 차례다. 하권에서는 문화적 구분을 크게 세 가지로 정리하고 있다. 첫째는 지배계급, 다음은 중간계급, 마지막은 민중 계급으로, 저자는 이들의 문화적 취향을 파고든다. 위 예시는 중간계급의 취향을 설명하고 있는 문장이다. 한국에서는 고급문화로 취급 받는 재즈 및 전위 문화, 계급성이 드러나지 않는 청바지, 오래된 취향으로 화한 록뮤직은 해석의 차이가 존재한다. 한국의 일부 청년 세대에서는 위에 등장하는 서구 문물에 대한 무조건적인 숭배와 추종이 1970년대 이후까지 지속된다. 『구별짓기』 연구 무대인 프랑스와의 차이점이 드러나는 대목이다.

저자는 프랑스 중간계급에 귀족 문화가 사라진 자리를 대체할 계급인 프티부르주아를 포함시킨다. 이들은 활동적이고, 세련되고, 기품 있고, 예술적인 태도를 지향한다. 하지만 실생활에서는 낙천적이고, 양심적이고, 사교적인 경향을 보이고 있다고 피에르 부르디외는 말한다. 프티부르주아가 지향하는 계급의 종착역은 지배계급인 부르주아다. 이들은 재즈, 영화, 만화, 공상과학소설 같이 정통 문화의 주변부에 포진한 모든 형태의 문화 형식을 받아들이는 경향을 보인다.

피에르 부르디외의 『구별짓기』는 1970년대 프랑스라는 매우 제한적인 공간에서 완성된 연구서다. 귀족 문화가 횡행했던 프랑스의 지역적 한계로 인해 『구별짓기』는 사회학자들로부터 반론의 여지를 남긴다. 또한 학력 자본, 문화 자본, 정치 자본, 경제 자본 등 수많은 자본의 가지치기로 오히려 계급 구분을 확대재생산 하는 난관에 빠지게 했다는 비난에서 자유롭지 못했다. 하지만 인간의 자유의지에 따른 문화적 선택이란 새롭게 만들어지는 것이 아닌 이미 만들어진 틀 내에서 반복하는 현상이라는 사실을 발견한다.

이제는 인문학에서 일반 용어로 쓰이는 '구별 짓기'는 이원론을 내세워 차별의 역사를 만들어 낸 패권주의 국가의 상징이 되어 버렸다. 당연히 구별 짓기를 주도하는 국가는 상위 계급을, 구별 짓기를 당하는 국가는 송두리째 하위 계급으로 나눠진다. 서양과 동양, 백인과 유색인종으로 나뉘는 차별의 역사는 다름 아닌 구별 짓기의 역사다. 이러한 구별 짓기의 악순환은 진보와 보수라는 해묵은 정치 논리에까지 도달한다. 화합과 융합의 가능성을 배제한 의도적인 구별 짓기는 필요악이다. 독자는 피에르 부르디외의 저작에서 구별 짓기의 해악을 깨닫는 시간을 체험할 것이다.

25. 독설의 미학

인생 따위 엿이나 먹어라 (마루야마 겐지)

이번에는 정통 인문서의 무거움에서 살짝 벗어난 책을 소개한다. 소개하는 일본 작가 마루야마 겐지의 소설은 서사 위주의 작품과는 거리가 멀다.

그의 문학을 읽다 보면 줄거리와 관계없이 등장인물의 부유하는 영혼을 출발점으로 회귀시키고픈 유혹이 넘실댄다. 좀처럼 잡히지 않는 이상향을 묘사하는 장면들이 가독성을 떨어뜨리기도 한다. 그렇기에 마루야마 겐지 문학에 열광하는 독자는 그리 많지 않다.

제목부터 범상치 않다. 엿이라니. 일본에도 엿이라는 기호 식품이 존재하는가. 어쨌든 '엿 먹어라'는 한국산 욕설에 해당한다. 부정적이고 공격적인 표현임이 틀림없다. 칠순을 훌쩍 넘긴 노작가의 일갈의 정체를 살펴보자.

책의 부제는 '인생이란 멋대로 살아도 좋은 것이다'이다. 과연 그럴까. 조금만 긴장의 끈을 놓치면 삶은 낭떠러

지로 추락한다는 속설을 작가는 모르는 것일까. 그것도 산전수전 공중전까지 겪어 보았음 직한 70대라는 나이에 말이다. 이게 바로 마루야마 겐지의 마력이다. 그는 문학이든, 현실이든, 타협과는 거리가 먼 아나키스트 작가다. 그렇다고 무한 혁명을 꿈꾸는 전공투 출신의 저항가까지는 아니다. 그는 글로 세상과 싸우기 위해 자신의 육체와 정신을 끊임없이 연마한다. 마루야마 겐지의 펜 끝은 물질만능주의에 잠식된 독자에게 쉬지 않고 독설을 쏟아낸다. 노작가의 문장에는 비장미가 넘쳐흐른다.

『인생 따위 엿이나 먹어라』는 200쪽을 살짝 넘는 에세이다. 분량이 적다고 가볍게 접하기에는 톡 쏘는 맛이 만만찮다. 일본 최고의 권위를 자랑하는 아쿠타가와상 출신 작가. 일본 문학 권력과 일찍이 담을 쌓고 글쓰기에만 전념하는 문학가. 오직 인세로 생활하기 위해 나가노현 아즈미노에서 50년 넘게 살고 있는 은둔자. 경제 불황의 늪에서 허우적거리는 젊은 세대에게 쉬지 않고 쓴소리를 내뱉는 독설가. 남의 손에 급소를 내준 이들에게 표창을 날리는 노후한 검객.

현실과 타협하는 작가의 길은 수없이 많다. 반대로 타협을 거부하는 작가의 길은 용기 있는 자에게만 가능한 일종의 외길이다. 마루야마 겐지는 저항 정신으로 중무장한 전투적 성향의 작가다. 그는 글로 세상과 싸우고 굴복하지 않는 방법을 스스로 터득한 경험주의자다. 시작에 앞서 책 뒤편에 소개한 마루야마 겐지의 어록을 소개한다.

- 부모의 사랑에 거짓이 없다고 믿는 것은 부모 자신뿐이다.
- 노동자라는 호칭에 속아서는 안 된다. 그 실질적인 처지는 바로 노예이다.
- 자유와 함께하는 삶만이 존재의 기반이라는 사실을 잊어서는 안 된다.
- 불안과 주저와 고뇌야말로 살아 있다는 증거다.
- 동물로 태어났지만 인간으로 죽어라.
- 자신의 껍데기를 깨부술 힘은 자신에게만 있다.

맛이 어떤가. 달콤 쌉싸름한 글을 예상하고 마루야마 겐지의 책을 펴든 독자에게는 심히 거슬릴 만한 문구가 적지 않다. 감상적인 위로의 글을 기대했던 이에게 마루야마 겐지의 책은 필독서가 아님이 분명하다. 어쩌면 중간에 읽기를 포기해야 하는 일이 벌어질지도 모르겠다. 반면 지금까지 무슨 생각을 하면서 세월을 죽여 왔는지 울화가 치밀고 욕지기가 끓어오르는 독자라면 이야기가 달라진다. 소개하는 노작가의 책을 부디 놓치는 우를 범하지 말기를 바란다. 페이지를 넘길 적마다 각성의 물결이 몰아친다. 책을 읽는 내내 반발심이 멈추지 않는 독자라면 언제부터인가 수동적인 삶에 익숙해져 버렸다는 점을 상기하자.

“부모가 이해를 하든 못하든, 하고 싶은 말을 다 했으면 단호하게 부모를 떠나야 한다.” (37)

작가의 촉은 부모의 그늘에서 벗어나지 못하는 일본의 젊은 세대를 겨냥한다. 한국이라고 크게 다르지 않다. 헬리콥터 맘이 성년의 자식을 품에 끌어안고 사생활까지 간섭하고 관리하는 세상이다. 과잉보호, 과잉 교육의 틀 속에서 성장한 20대는 친구보다 부모에게서 물질적인 보상과 정서적인 유대감을 유지한다. 경기 불황, 취업난이라는 핑계로 유아기적 삶을 그대로 유지하고자 한다. 대학 수강신청은 엄마가, 대학교에서 몸이 아프면 엄마가, 남자 친구가 생겨도 엄마가, 마지막으로 돈이 떨어지면 아빠나 할아버지가 돈다발을 건네준다.

유치하다 못해 한심한 일이다. 이게 부모로서, 자식으로서 소기의 성과를 거둔 결과란 말인가. 투자한 만큼 거두기 위해 자식을 낳고 키웠다면 그럴지도 모른다. 자식이 보험이나 적금 따위로 보인다면 말이다. 작가는 이러한 상호 종속적인 삶에 도취한 부모자식에게 엿이나 먹으라고 호통친다.

“직장인이 되기 위해서 태어났는가./직장인의 처지란 노예 그 자체라는 것을 모르는가./누가 강제로 끌어가는 것도 아니고, 법률로 정해져 있는 것도 아닌데 왜 스스로 노예의 길

을 선택하는가." (46)

삼포 세대들이라면 코웃음을 칠 만한 대목이다. 과연 그런가. 과연 원하는 직장에 가지 못한다는 이유로 인생이 거지같다는 논리에 굴복하고 싶은가. 작가의 두 번째 표적은 바로 직장이다. 그는 과감하게 직장이라는 감옥에서 탈출하라고 선동한다. 직장 무용론의 근거가 나름 그럴듯하다.

마루야마 겐지가 어떤 인물인가. 중소기업을 다니던 20대에 제56회 아쿠타가와상 신인문학상을 받자 미련 없이 직장에 사표를 던진 인물이다. 그렇다고 선배 문학가와 문학비평가가 어울리는 술자리나 기웃거리며 명성이나 밥그릇을 구걸하지도 않았다. 말 그대로 문학 권력이라는 미망을 스스로 떨쳐 버린 작가다. 그는 통찰력이 넘치는 인물이다. 무엇이 자신의 문학 세계를 압박할지, 무엇이 자신의 인생을 속박할지를 정확히 알고 있던 존재이다. 그는 자유의지가 날개를 접지 않는 직업을 택해야만 인간다운 삶이 가능하다고 주장한다.

"알아서 기니 그 따위로 살다 죽는 것이다" (139)

작가가 던지는 표창의 과녁은 종교나 국가도 예외가 아니다. 마루야마 겐지는 인간을 조종하고 무력하게 만드는 원천이 종교와 국가에서도 횡행하고 있다고 토로한다. 그는 종교란 인간을 한없이 나약하게 만드는 악 그 자체라고 말한다. 어떤 교단이든 마음과 재산을 빼앗고 마지막에는 자아까지 강탈해 가는, 몸과 마음의 죄를 사해 주는 것과는 전혀 무관한 악덕한 자기부정의 소굴이 종교라는 데 방점을 찍는다. 국가도 마찬가지다. 애당초 국가란 국민의 권리나 자유와는 거리가 먼 권력 집단이다. 따라서 국가란 단 한 번도 국민의 소유가 아니었으며, 앞으로도 이러한 구조적인 비극은 변함없이 지속될 것이라 주장한다.

노작가의 호령에 정신이 혼미해질 즈음, 마루야마 겐지는 시원하게 마무리 주먹을 날린다. 그는 온갖 일에 도전해 보면서 자기 안에 소리 없이 숨겨진, 곤히 잠들어 있는 재능을 발견하라고 일갈한다. 당연히 세상에 공짜란 없다. 재능을 발견하기 위해서 감내해야만 하는 과정을 피해서는 말이 안 된다. 아프니까 청춘이 아니라 정면으로 부딪쳐야 청춘이라고 마루야마 겐지는 목소리를 높인다.

어떤가. 맥주를 마시려고 잔을 집어 들었는데 막상 들어 있는 술은 고량주인 처지가 말이다. 자신이 얼마나 세상을 대충 살고 있는지 몸소 확인해 보고 싶다면 이 책을 놓치지 말도록 하자. 적어도 앞으로의 삶이 지금처럼 별 볼일 없을 것이라는 비관론에서 조금이라도 벗어나고 싶다면 하늘을 향해 큰 소리로 외쳐 보자. 인생 따위 엿이나 드시라고 말이다.

26. 오직 진실만을 말하리라

르몽드 인문학 (에릭 홉스봄 외)

바야흐로 인문학 전성시대란다. 어디에서나 인문학 강의가 열리고 인문학 방송이 등장한다. 단, 대학에서는 이미 인문학과의 이별을 선포한 지 오래다. 알다시피 대학은 미래의 산업 역군을 제조하는 입사 전문 기관으로 추락했다. 대학과 기업의 차이를 찾기 힘든 세상이다. 오로지 수익 창출만을 위해 동분서주하는 대학과 기업이 존재할 뿐이다.

자본주의 시장 논리에 가장 충실한 교육기관은 문화 센터도, 사설 학원도, 교육방송도 아닌 바로 대학이다. 그곳에 가면 두 마리 토끼를 잡을 수 있다. 대학이라는 간판과 취업이라는 돈벌이 수단이 동시에 해결된다. 이런 상황에서 누가 대학을 멀리하겠는가. 결국 인문학이란 상아탑에서 홀대받는 곁다리 학문으로 전락한 지 오래다. 미국이라고 예외일 수 없다. 이미 1970년대부터 미국 대학의 인문학 교육은 내리막길을 걷는 추세다. 아쉽지만 인문학 열풍은 경쟁과 자본의 전쟁터의 외곽에 자리를 잡은 신기루에 불과하다.

도대체 인문학의 가치가 무엇이기에 학문의 중심부에서 탈락한 아웃사이더로 불린단 말인가. 엄밀히 말하자면, 모 재벌가에서 외치는 인문학이란 산업 역군을 만들어 내기 위한 장식품에 지나지 않는다. 돈세탁을 위해 수십억 원을 호가하는 팝아트 계열의 미술품을 턱턱 사재기하는 행위가 인문 정신이라고 여긴다면 한국에 인문학 애호가는 재벌 총수나 벼락부자를 제외하고는 존재 자체가 불가능하다. 무한 수익을 강조하며 노동조합의 존재 자체를 부정하는 기업에서 인문학 강의를 들으라는 코미디가 횡행하고 있다. 고전 강의는 줄곧 반복하면서도 신자유주의 시장의 폐해에 대해서 침묵을 지키는 교육자가 즐비하다. 이게 대한민국 인문학의 일번지다.

그러면 인문학이란 어디에서 어떻게 공부해야 하는가. 대학도, 직장도, 가족도 인문학과는 아무런 관련이 없는 존재다. 가장 설득력 있는 방법은 독학이다. 일제의 잔재인 주입식 교육으로 인해 어디서부터 독학을 시작해야 할지 모르겠다고 고민하지 말기를. 자신을 바꿔 보겠다는 확고한 의지 하나면 누구든지 인문학도의 길에 발을 내디딘 상태와 다름없다.

인문학 공부의 시작은 시간의 확보가 관건이다. 쉽지 않겠지만 하루에 1-2시간 정도를 확보하는 일이 우선이다. 그렇게 마련한 시간에는 인문서를 읽고 사유하는 과정을 포함시켜야 한다. 인문서의 특징은 관련 서적에 대한 후행 학습이 따른다. 난해한 예시와 어구가 쏟아지겠지만 변곡점을 지나면 자연스레 인문서를 가까이 하는 일상이 반복될 것이다. 다음 단계는 실천이다.

인문학은 세상을 해석하는 자신만의 시각을 장전하는 실천 학문이다. 비판 의식의 배양을 통해 다르게 보기를 생활화하는 학문에 속한다. 행여나 인문학 공부를 통해서 떼돈을 벌거나 명예를 얻을 생각일랑 접기를 바란다. 그럴 의도라면 차라리 자격증 수업을 듣는 편이 낫다. 인문학은 수단이 아닌 과정에 속한다. 이제 유럽 인문학자의 산실로 불리는 프랑스로 넘어가 보자.

『르몽드 인문학』은 프랑스의 자존심이라 불리는 『르몽드』라는 일간지의 자매지이자 시사지인 『르몽드 디플로마티크』에 실렸던 기사를 발췌한 서적이다. 미국의 진보학자 노엄 촘스키가 '세계의 창'이라 부른 『르몽드 디플로마티크』는 서구 열강을 중심으로 세계화라는 기치 하에 벌어지는 이슈를 다룬다. 인문학의 부분집합에 속하는 인권, 민주주의, 평등, 박애주의, 환경 보전, 반전 등을 주제로 심도 있는 기사를 내보내는 독립 대안 언론이다. 한국에는 『나는 파리의 택시운전사』의 저자 홍세화씨가 운영했던 월간 『말과 활』, 강준만 교수가 만든 월간 『인물과 사상』

등이 이에 해당한다.

> "기업들이 일자리를 창출하지는 않는다. 기업들은 경기 상황에 의해 결정된 일자리를 '선택'할 뿐이다. 고용을 원한다면 집중해야 할 대상은 경제상황이지 기업이 아니다." (81)

『르몽드 인문학』은 총 40개 항목의 짧은 글들로 이루어져 있다. 소개하는 글은 프레데리크 로드롱이 말하는 고용과 기업의 상관관계다. 저자는 기업이 마치 아량을 베풀듯이 고용의 혜택을 국민에게 준다는 논리는 억지라고 말한다. 그는 기업이 고용을 창출하기 때문에 정부는 기업에 관대해야 한다는 추론에 반기를 든다. 눈여겨볼 주장임이 분명하다. 노동자는 산업혁명을 기점으로 귀족의 노예에서 기업의 노예로 소속을 바꾼다. 그렇게 노동자는 자본의 전위부대인 기업 권력의 부속품이 된다. 기업의 권력화는 인권 침해와 불평등을 불러일으킨다.

프레데리크 로드롱은 자본의 횡포가 기업 논리와 밀접하게 연관되어 있음을 지적한다. 자본은 노동자의 개별적인 삶뿐만 아니라 그들이 속한 집단의 삶까지 인질로 잡는다. 결국 물질적, 개인적, 집단적 재생산은 자본축적의 논리를 따른다는 것이 자본이 벌이는 인질극의 주요 원리라고 강조한다. 기업이란 일자리를 창출할 능력 자체가 전혀 없는 이익집단이다. 이는 외부 요인, 즉 기업의 고객인

가계나 다른 기업의 소비 의지에서 비롯하기에 기업은 매출 평가를 분석하여 일자리를 제공할 뿐, 스스로 결정할 능력은 없다는 의미다.

> "서구의 임무는 모든 방법을 동원해서 수많은 문화들을 야만적인 등가 원칙을 내세워 굴복시키는 데 있다. 자신의 가치를 잃어버린 문화는 다른 문화들을 상대로 보복에 나설 수밖에 없다." (143)

프랑스를 대표하는 사회사상가이자 철학자인 장 보드리야르(Jean Baudrillard)의 글이다. 그는 세계화 시스템이란 사나운 질투심으로 가동된다고 설명한다. 주류 문화에 대한 비주류 문화의 질투심, 고급문화에 대한 저급 문화의 질투심이 예다. 이러한 질투심에 저항하는 형태가 바로 테러리즘이다. 굴욕을 당한 사람과 모욕을 당한 사람이 절망하는 것처럼, 테러리즘은 세계화의 혜택을 누리는 사람들에 대한 보이지 않는 절망감의 다른 표현이다.

> "경쟁이 치열한 학계에서는 변변한 연구 실적 하나 없이 대중을 상대로 지식인은 존재하지 않는다고 설파하면서도, 정작 자기 자신은 지식인으로 행세하는 과거 일부 유기적 지식인들이 이러한 태도를 보여준 바 있습니다." (341)

2007년에 세상을 떠난 피에르 부르디외의 글을 골라 보았다. 제목은 '지식인이여, 분노하라'이다. 분노의 대상은 명확하다. 저자는 세계화를 부르짖는 권력의 주체에 대항하기는커녕 학계에 칩거하려는 지식인의 대오 각성이 필요하다고 외친다. 지식인의 의무가 사회적 불의에 침묵하지 않는 것이라면, 투쟁의 수단은 간명하다. 집회를 통한 적극적인 정치 행동과 글로서 투쟁하는 방식이 예가 되겠다. 피에르 부르디외는 사회적 모순에 대해 단지 머릿속에서 안주하면서 현실에 눈을 감는 일련의 이분법적인 틀을 깨야 한다고 주장한다.

지식인과 사회운동가의 경계는 선택과 실천의 여부를 기준으로 만들어진다. 안주할 것인가, 행동할 것인가. 이는 피에르 부르디외가 비판하는 지식인만의 과제는 아니다. 시민 모두가 미래의 지식인으로 화할 가능성을 지니고 있다. 중요한 건 자본의 생태를 파악하고 있는 지식인의 방어적인 태도다. 심지어 자본의 대오에 서서 기업 가치의 대변인마저 서슴없이 물신의 노예가 되어 버린 반쪽짜리 지식인이 횡행하는 시대다. 모든 판단과 행동에는 용기가 따른다. 용기 있는 자는 희생과 피해를 감수하겠다는 심정적 발로가 전제되어야 한다. 지하세계로 공간 이동을 한 피에르 부르디외의 외침은 계속된다. 지식인들이여. 행동할 것인가, 아니면 은둔할 것인가.

종이 책과 함께 잡지의 수난 시대가 이어지고 있다. 대안 언론으로 활동하던 수많은 잡지가 경영난 속에서 활동을 중단했다. 이제는 독자의 눈높이를 맞출 만한 잡지를 기획해야 하지 않을까 싶다. 한국의 문학 격월간지인 『Axt』의 선전을 타산지석으로 삼으면 어떨까. 『Axt』는 인터뷰, 서평, 에세이, 소설로 유지하되 잡지 디자인과 편집에 무게를 둔 기획이 돋보인다. 흔히 딱딱하고 지루한 이론서라는 선입견이 높은 이념 잡지의 한계에 대한 고민이 필요하지 않을까 싶다. 한국의 르몽드가 탄생하기 위해서는 잡지라는 결과물의 상대편에 서 있는 독자와의 소통과 이해가 중요하다.

27. 마술적 리얼리즘의 세상

내 슬픈 창녀들의 추억 (가르시아 마르케스)

창녀들의 추억이라니. 도발적인 제목이다. 만약 이 책이 21세기 미투 시대에 등장했다면 논란에서 자유롭지 못했을 테다. 고급문화를 추종하는 독자에게는 선뜻 손이 가지 않을 법한 책이다. 창녀를 매개로 한 매음 문화의 특징은 돈으로 육체를 거래한다는 전제 조건이 달려 있다. 반면, 사랑은 매음 행위와는 철저하게 별개라는 낡은 관념이 인간을 지배해 왔다. 두 가지 모두 의심이 가는 대목이다.

남미를 대표하는 소설가 가르시아 마르케스(Garcia Marquez)의 최고작이라면 『백년 동안의 고독』을 꼽을 수 있다. 저자는 이 작품으로 1982년 노벨문학상을 수상한다. 창세기와 남미의 역사를 소설에 융해하여 완성한 『백년 동안의 고독』은 마술적 리얼리즘이라는 남미 특유의 문학성을 정립한 작품이다. 현실과 환상의 구분이 모호한 저자 특유의 글쓰기는 문학의 가능성을 한 단계 올려놓았다는 평단의 찬사를 받는다.

소설에 대한 기호와 해석은 개인차가 존재한다. 아무리 노벨문학상이다, 이상문학상이다 외쳐 봐야 자신의 문학적 취향과 거리가 있다면 그만이다. 소개하는 『내 슬픈 창녀들의 추억』 역시 비슷한 경우에 해당한다. 개인적으로 가르시아 마르케스의 『백년 동안의 고독』을 먼저 접했지만 저자의 유명세에 비해 기대한 만큼의 감동과 사유를 얻지는 못했다. 이처럼 선입견이란 독서의 촉을 뭉툭하게 만드는 필요악이다. 남미 국가라는 이유로, 역사에 무지하다는 이유로, 인간은 얼마나 많은 진실의 핵심을 놓치면서 살고 있는가.

『내 슬픈 창녀들의 추억』은 출간 전부터 콜롬비아를 포함한 남미 전역에서 화제가 되었던 책이다. 작품의 탄생 연도는 2004년이다. 전작인 『사랑과 다른 악마들』 이후 10년 만에 등장한 소설이다. 게다가 섹스와 매음이라는 소재를 차용했다는 소문으로 출간 직전에 복사판이 거래될 정도로 엄청난 관심을 받은 작품이다. 『내 슬픈 창녀들의 추억』은 단편 3개가 유기적으로 연결된 중편 분량의 소설이다. 출간한 지 불과 2개월 만에 100만 부가 넘는 판매고를 기록한다. 이 작품은 19개국 언어로 출간되어 남미 문학의 우수성을 전 세계에 재확인시켜 주는 데 일조한다.

"아흔 살이 되는 날, 나는 풋풋한 처녀와 함께하는 뜨거운

사랑의 밤을 나 자신에게 선사하고 싶었다." (9)

주인공의 나이는 90살이다. 대한민국 남성의 평균 기대 수명보다 무려 10년 넘게 장수하는 노인의 정체는 무엇일까. 『내 슬픈 창녀들의 추억』 출간 당시 저자의 나이는 70대 후반이었다. 따라서 소설의 주인공은 저자의 분신이라는, 일반적인 소설의 통념과 크게 다르지 않다고 짐작할 수 있다. 주인공의 이름은 없다. 소설의 시대적인 배경은 1950년대이며, 공간적인 배경은 작가의 고향인 콜롬비아다.

'서글픈 언덕'이라는 별칭으로 등장하는 주인공은 신문에 정치와 관련한 비평을 쓰는 칼럼니스트다. 그는 한 번도 돈을 주지 않고 여자와 관계를 가져 본 기억이 없다. 여기서 가르시아 마르케스의 성향이 드러난다. 주인공이 처한 상황, 즉 물질이 배제된 사랑만이 결혼의 조건이라는 상황은 지극히 희극적이다. 반대로 결혼이 매음의 확대재생산이라는 역설 역시 쉽사리 이해가 가지 않는다. 저자는 집요하게 결혼과 매음의 경계를 만들고자 애를 쓴다.

"오십 줄에 들어설 때까지 내가 적어도 한 번 이상 잠을 잔 여자는 총 514명이었다." (20)

514명이라니. 30년간 매달 1명 이상의 여성과 성관계를 했다는 말이다. 멀리서 봐도 눈에 띌 만큼 못생기고, 수줍

음이 많고, 유행이 떨어지는 주인공에게 514명은 만만치 않은 수치임이 분명하다. 여기에 전제가 따른다. 514명 모두가 매춘부라는 점이다. 주인공은 자신의 남성적인 매력과 관계없이 돈을 주고 수많은 여자와 지속적으로 잠자리를 가진다.

주인공은 자신만의 성교의 원칙이 있었다고 밝힌다. 떼거리로 벌이는 난장판에 합류하지 않았으며, 드러내 놓고 여인과 동거하지 않았고, 육체와 영혼의 모험을 발설하거나 누군가와 공유하지도 않았다. 순정한 여자란 세상에 존재하지 않는다는 진리를 일찌감치 깨달았기 때문이란다. 다음 단락에 예외 상황에서 성행위를 치른 여성이 등장하지만 이는 생략하기로 하자.

> "그날 밤 나는 모든 것을 준비하고 아흔한 살이 되는 첫 번째 순간에 닥칠 마지막 고통을 기다리면서 드러누웠다." (149)

중단편 소설의 특징이라면 장편처럼 복잡한 서사나 등장인물의 나열이 쉽지 않다는 거다. 특히 단편소설은 서사보다는 묘사에 치중한 작품이 한국문학계에는 압도적으로 많다. 이러한 경향에 일조한 제도가 신춘문예다. 빛나는 묘사로 한국어의 우수성을 알리는 데 일조했다고 반론을 편다면 수긍하는 독자가 있을지도 모르겠다. 하지만 신문사별로 원하는 경향의 소설을 당선시키고, 이듬해에도 비슷한 성향의 소설을 최종심에 올리는 악습은 사라져야 할 유산임에 틀림없다. 다양성을 인정하지 않는 등단 절차는 장원급제를 노리는 조선 시대의 시험제도와 무엇이 다르단 말인가. 지금도 신춘문예에 아까운 시간을 바치는 문필가가 허다하다.

가르시아 마르케스는 소설을 위해 바랑키야의 차이나타운 사창가를 전전한다. 섹스를 위해서가 아니라 인터뷰를 위해서였다. 사창가를 소재로 한 한국 소설을 떠올려 보면 이외수의 『꿈꾸는 식물』이 떠오른다. 장미촌으로 명명된 소설의 무대는 강원도의 사창가다. 이곳에서 주인공의 아버지는 포주로, 큰 형은 아버지의 아바타로, 둘째 형은 현실 적응 능력이 떨어지는 나약한 인간으로 등장한다.

『내 슬픈 창녀들의 추억』이 소시민의 본능과 방황을 묘사했다면, 이외수의 초기작인 『꿈꾸는 식물』은 철저하게 절망 속에서 좌절하는 인간 군상이 등장한다. 만약 이외수가 장미촌을 소재로 한 다른 소설을 후반기에 집필했다면 상황은 달라질 수도 있다. 작가의 유명세와 이에 따른 경제적 보상이 서사 자체를 변화시키는 경우가 허다하기 때문이다. 『내 슬픈 창녀들의 추억』은 사랑과 단절된 잠자리를 전전하던 주인공의 삶이 90살을 기점으로 변화의 국면에 접어든다.

소설의 주인공은 끊임없이 독자에게 의문부호를 던진다. 당신이 상상하는 섹스란 어떤 것인지. 당신이 원하는 이성은 어떤 형태로 존재해야 하는지에 대해서 말이다. 질문의 정답은 『내 슬픈 창녀들의 추억』에 담겨 있다. 섹스란 사랑을 얻지 못할 때 가지는 위안에 불과하다는 관념을 작가는 주인공의 인생에 비춰 증명하려 든다.

전 세계적으로 미투 운동이 활발한 시점에서 가브리엘 마르케스의 작품은 다양한 해석의 여지를 남긴다. 저자를 치환한 듯한 주인공의 성적 방황은 인간 존중의 차원에서 본다면 다소 설득력이 떨어진다. 섹스라는 행위는 반복하지만 소설에 등장하는 여인들의 사유나 세계관은 좀처럼 찾아보기 힘들다. 게다가 작품에서 등장하는 여성은 철저하게 수동적인 존재로 묘사된다. 쌍방향이 아닌 단방향의 소통으로 이어지는 노인과 여성과의 관계는 가부장 문학의 한계가 느껴진다. 나이를 먹어도 인류와 세상에 관한 사유가 드러나지 않는 늙은 섹스 중독자의 독백은 미성숙한 삶을 증명해 주는 대목이다. 개인의 일상에서 맴도는 상황극은 후반부로 갈수록 힘이 떨어진다. 구원이라는 화두에서 멀어지려는 저자의 의도가 의심스럽다.

모든 인간은 죽음이라는 명제에서 자유롭지 못하다. 나이를 먹어 가는 주인공의 일상에도 죽음의 기운이 어른거린다. 가르시아 마르케스는 자신의 죽음이 못내 두려웠던 것일까. 이를 극복하기 위해 거대 담론보다는 성적 판타지에 몰입하려는 본능의 글쓰기가 저자의 지향점일까. 아니면 독자에게 죽음에 대한 물음표를 던지는 형식으로 소설에서 섹스를 차용한 것일까. 이 대목에서 박상륭의 문제작 『죽음의 한 연구』를 다시 읽어 본다. 박상륭은 이렇게 사유하고 쓴다.

> "아, 울음의, 소리의, 언어의, 숨의, 존재의, 비존재의, 저 깊은 속에 담긴 것은 저 울음, 저 하나의 소리였다. 처음에 소리였다, 소리 자체가 소리를 삼켜버려, 소리가 소리가 아니게 하는 소리, 처음에 숨이었다가, 숨 자체가 숨을 삼켜버려, 숨이 숨이 아니게 하는 숨, 말을 말이 아니게 하는 말, 존재를 존재가 아니게 하는 존재, 비존재를 비존재가 아니게 하는 비존재. 옴, 말." (365)

가브리엘 마르케스는 90세를 2년 남긴 시점에 숨을 거둔다. 2014년 4월 17일이었다.

28. 악마와의 계약을 중단하라

소비의 사회 (장 보드리야르)

도대체 왜 일하는가, 라는 질문에 명쾌하게 응답하는 노동자는 많지 않다. 이유를 들어 보면 다음과 같다. 남들이 일하니까, 생존을 위해서, 노력의 대가로, 돈이 필요하니까 정도가 대부분이다.

여기에서 함정이 숨어 있다. 함정의 정체는 무한 소비라는 노동의 조건이자 덫이다. 산업혁명 이후 노동자는 끊임없이 소비하는 존재로 자신을 증명해야 하는 지경에 이르렀다. 버는 만큼 소비할 수밖에 없는 구조를 획책하는 존재는 자본이라는 무소불위의 괴물이다. 고로 노동자는 기업이 작성한 악마와의 계약에 서명해 버린 21세기의 파우스트다. 소비하지 않는 자여, 먹지도, 숨 쉬지도 말라.

이 모든 현상이 소비라는 유혹에 굴복해 버린 인간의 한계라고 탓할 수만은 없다. 그러기에는 인간을 둘러싼 소비에의 유혹이 너무나 강력하다. 믿기지 않는다면 12시간

내내 스스로가 얼마나 많은 광고에 노출되어 있는지 세어 보기 바란다. 아무리 적게 쳐도 1,500개 이상의 광고 이미지가 소비자의 뇌를 제집처럼 들락거린다. 그럼에도 광고의 유혹에 휘둘리지 않는다고 자부하는 자라면 장 보드리야르의 책은 읽지 않아도 무방하다. 그대는 지름신의 유혹을 물리친 소비 전성시대의 퇴마사니까.

다시 『소비의 사회』로 돌아가 보자. 저자인 장 보드리야르는 감성 충만한 문화 애호가와는 거리가 멀다. 책이 등장한 시대는 1970년이다. 『소비의 사회』는 68혁명의 여진이 채 가시지 않은 프랑스의 문화 현실과 냉전 시대의 한 축이던 미국 자본주의의 미래를 예견한 내용으로 가득 차 있다. 시대가 흐를수록 덩치를 키워 가는 소비의 사회를 파헤친 역작이다.

여기에서 고전에 관한 몇 가지 질문을 던져 본다. 구소련을 비롯한 공산주의 진영의 몰락에도 불구하고 마르크스의 유령이 사라지지 않는 이유는 무엇일까. 실체가 존재하지 않은 프로이트의 심리학이 회자되는 이유는 무엇일까. 삼국지에 열광하는 독자층이 사라지지 않는 이유는 무엇일까. 끝으로 수많은 고전을 읽고 또 읽는 이유는 무엇일까.

역사와 마찬가지로 고전이란 독자가 알지 못하는 현재와 미래를 투사할 수 있는 망원렌즈에 해당한다. 영험한 점쟁이가 아닌 이상 고전에서 분석하는 사회의 미래상이 지금과 같을 수는 없다. 막연히 '그럴 것이다'라고 받아들였던 사회구조적 모순과 조작의 정체를 고전을 접하면서 깨우치는 일상은 두 번째 인생을 시작할 일종의 기회다. 이게 바로 고전의 가치이자 소중함이다.

> "신체의 모든 기관과 모든 기능이 전환 속에서 증상이 약해지는 거대한 패러다임이 되는 것과 같이, 소비 속에서 사물은 또 하나의 언어가 거절당하고 다른 무엇인가가 말하는 광대한 패러다임이 된다." (110)

저자는 사물 및 욕구의 세계란 보편화된 히스테리의 세계라고 정리한다. 여기서 의미하는 히스테리란 병의 객관적 특성을 정의할 수 없는 것과 마찬가지로 욕구의 객관적 특성도 정의할 수 없는 소멸과 이동성을 가지는 현상이다. 즉, 욕구라는 존재는 특정한 사물에 관한 욕구가 아닌 차이에의 욕구라는 전제가 뒤따른다. 따라서 완전한 만족이란 결코 존재할 수 없다는 소비사회의 법칙이 세상을 지배하고 있다고 설명한다.

장 보드리야르는 고전경제학에서 말하는 욕구와 향유에 근거한 소비의 체계를 전면 부정한다. 그가 주장하는 소비의 체계는 최종적으로 기호 및 차이의 코드에 근거한다. 현대사회의 특성이자 자본주의의 종착역인 소비 행위를 위해 인간은 끊임없이 노동에 고귀한 영혼을 바친다. 소비의 부작용을 망각한다면 인간은 행복해질 권리를 포기하는 상황으로 치달을 것이라고 경고한다. 현대인의 영혼을 갉아 먹는 소비 중독 현상은 자본주의가 유도하는 창살 없는 감옥이다.

> "소비의 논리는 예술표현에 전통적으로 주어지는 최고의 지위를 인정하지 않고 그것을 없애버린다." (181)

팝아트는 소비의 예술인가. 장 보드리야르는 앤디 워홀로 상징되는 팝아트에 대한 새로운 해석을 선보인다. 팝아트의 탄생 이전의 모든 예술은 심층적인 세계상이라는 전제에 근거하지만, 팝은 기호의 내재적 질서에 동화하려는 수단이라고 전제한다. 팝이란 문명 세계에 내재하는 것뿐만 아니라 현실 세계에 전적으로 편입되는 것을 목적으로 하고 있다고 정의한다. 여기에서 대량생산에 따른 대량 소비의 시대가 영향을 미쳤다는 전제가 따른다.

소비의 생활화를 부르짖는 20세기 이후 대중문화는 예술과 광고의 세계에도 영향을 미친다. 대중문화를 소재로 다루는 팝 아티스트는 실제 눈에 비친 세계를 캔버스에 투영한다. 이는 소비사회의 민얼굴을 인정하는 행위 이상도 이하도 아니라는 현대 문화의 논리로 귀결된다. 팝 아티스트는 소비문화를 적극적으로 받아들이고 재생산하는 과정에 아무런 저항 없이 동참한다. 간혹 소비문화를 냉소나

패러디의 소재로 다루는 경우도 등장한다.

> “소비사회가 이전 사회와는 달리 더는 신화를 만들어내지 못하게 되었다면, 그 이유는 소비사회 그 자체가 소비사회에 대한 신화이기 때문이다.” (328)

저자는 지구촌 세상을 소비사회라고 간주하며, 광고는 소비의 관념에 바쳐진 승리의 노예라고 설명한다. 여기에서 신화란 사회가 자신에 대해 가지고 있는 자기 예언, 사회 전체의 상황을 해석하는 체계, 사회가 자신의 모습만을 반영하고 즐기는 거울, 사회의 미래를 선제적으로 반영한 유토피아를 의미한다.

소비사회에서 더 이상의 신화란 없다. 이제는 소비 자체가 신화화된 사회에 살고 있기 때문이다. 신화처럼 소비를 떠받드는 디스토피아가 바로 소비의 시대이다. 소비는 현대사회의 도덕률에 가까운 마력을 내뿜는다. 과연 누가 소비라는 고래의 목에 방울을 달 것인가.

『소비의 사회』는 개인의 삶에 대한 국가권력의 간섭과 통제를 거부했던 프랑스 혁명의 열기가 식지 않은 상황에서 완성한 글이다. 장 보드리야르는 소비를 68혁명이라는 역사적 반전처럼 누군가가 선봉에 서서 무너뜨려야만 하는 타락한 이데올로기라고 정의한다. 하지만 저자의 외침에서 묵직한 힘이 느껴지지 않는 이유는 무엇일까. 이는 중세 사회가 신과 악마 위에 균형을 유지했듯이, 현대사회는 소비의 폭주가 좀처럼 멈추지 않고 있다는 사실에서 이유를 찾을 수 있다.

이제 대한민국은 무한 소비라는 악령으로부터 벗어날 사회 체계를 고민해야 할 시기다. 북유럽형 복지사회만이 정답이라고 말하기엔 세금 체제 개편에 따른 고소득층의 반발이 만만치 않다. 사회 주도 세력인 재벌과 정치인은 증세가 아닌 감세 정책에 대한 선호도가 압도적으로 높다. 그들은 더 이상의 변화를 바라지 않는다. 권력의 유지를 위해 위해 겉으로만 정권에 협력할 뿐이다. 부와 권력을 움켜쥔 기득권 세력과 반대편에 위치한 90% 이상의 유권자를 설득할 만한 복지 정책의 수립이 시급하다. 추가로 급증하는 실업난에 대처할 실질적인 일자리 창출이 전제되지 않는다면 사회 체계의 변혁은커녕 유지 자체도 쉽지 않은 상황이 벌어질 것이다.

소비의 매개체인 사물의 배후에는 텅 빈 인간관계만이 존재한다. 인간의 사고와 행위를 조종하는 만들어진 소비의 시대는 진격의 거인의 모습으로 덩치를 키워 왔다. 어리석은 인간이 겹겹이 쌓아 놓은 성곽 밖에는 소비라는 이름의 무리가 군침을 흘리며 공격 신호만을 기다리고 있다. 다시 생각해 보자. 누가 거인을 만들었는지. 누가 진격의 거인의 파상 공세 속에서 살아남을지를. 그 해답은 소비를 맹신하고 찬양하는 인간만이 알고 있다.

29. 200번의 거절

유혹하는 글쓰기 (스티븐 킹)

적어도 글을 쓰는 사람이라면, 일회용 글쓰기가 아닌 평생토록 글쓰기를 지속할 작정이라면, 글쓰기로 자신의 이름이 등장하는 책을 출간하고자 하는 이라면, 대부분이 경험했음 직한 장벽이 있다. 그것은 바로 자신의 분신이나 다름없는 원고를 출판 시장에서 인정받는 과정의 어려움이다.

소설가 스티븐 킹(Stephen King) 역시 예외가 아니었다. 그는 학생 시절부터 자가 제작한 단편소설을 팔아 치우는 수완을 발휘한다. 학생 스티븐 킹은 당시만 해도 자신의 글에 자신감이 넘치던 예비 작가였다. 하지만 글쓰기라는 행위가 돈이라는 대체재로 보상받기란 쉽지 않다. 스티븐 킹 역시 생계형 작가로 20대 시절을 보낸다. 작가로 살아남기 위해 건물 경비와 세탁 공장 인부, 작은 공립학교 영어 교사직을 전전한다. 이후 200회가 넘는 지난한 투고 과정이 이어진다.

출판사의 반응은 어떠했을까. 결과는 거절의 연속이었다. 술에 찌들어 지내는 시간이 길어질수록 소설가 지망생의 절망은 깊어진다. 무명작가의 방황에 종지부를 찍어 준 이는 다름 아닌 그의 아내였다. 아내는 쓰레기통에 처박힌 스티븐 킹의 습작 소설 뭉치를 발견한다. 자포자기 상태에 빠진 작가 지망생의 작품은 아내의 손을 거쳐 다시 출판사로 향한다. 우여곡절 끝에 정식 출간한 공포 소설 『캐리』는 그를 단박에 스타 작가의 반열에 올려놓는다. 이어지는 500여 편의 소설 창작을 통해 무려 3억 권 이상의 기록적인 판매고를 달성한다. 지금까지 그의 소설은 세계 30여 개국에서 출간했으며, 무려 90여 편의 작품이 영화화된다.

그런 스티븐 킹이 글쓰기 책을 펴냈다. 제목하여 『유혹하는 글쓰기』. 적어도 소설 창작으로 미래의 전업 작가를 희망하는 이라면 이 책을 기억할 것이다. 이제 국내 서점 매대에는 다양한 글쓰기 책이 나와 있다. 『유혹하는 글쓰기』가 첫선을 보인 2000년대 초반만 해도 외국 저자의 창작 서적을 구경하기가 흔치 않던 시절이었다. 기억을 돌이켜 보면 소설 창작에 빠져 있던 2000년대 후반에 『유혹하는 글쓰기』를 접했다.

책의 앞부분에는 작가의 어린 시절에 대한 회상이 등장한다. 이는 창작 인생을 매개로 한 저자의 자전적인 삶을 결합한 형태로 드러난다. 스티븐 킹은 글쓰기가 외로운 작업이라고 털어놓는다. 그럼에도 자신의 글을 믿어 주는 독자가 있다는 사실은 대단히 중요한 일이라고 첨언한다. 이유는 중요치 않다. 그냥 독자가 믿어 주는 것만으로도 작가는 글쓰기라는 지난한 과정을 버텨 나갈 수 있다고 저자는 말한다. 생활 보조 대상자에 포함될 정도로 빈한한 삶의 굴레에서 허덕일 적에도 스티븐 킹은 글쓰기를 포기하지 않았다.

> "정서적으로 또는 상상력의 측면에서 까다롭다는 이유만으로 어떤 작품을 중단하는 것은 잘못이라는 점이다. 때로는 쓰기 싫어도 계속 써야 한다. 그리고 때로는 형편없는 작품을 썼다고 생각했는데 결과는 좋은 작품이 되기도 한다." (94)

작가의 공통적인 고민이라면 작가로서의 재능에 대한 의문이자 불안이다. '내가 정말 대단한 작가가 될 수 있을까. 글쓰기로 생계를 유지할 수 있을까. 도대체 어떤 사람들이 내 글을 읽어 줄까. 앞으로 얼마만큼의 글을 쏟아 낼 수 있을까'라는 고민이 이에 해당한다.

스티븐 킹 역시 쉬지 말고 쓰라는 교과서적인 조언을 내놓는다. 꾸준한 창작과 퇴고를 통해 필력을 연마하지 않는다면 글쓰기에 관한 장광설은 결국 별무신통이라는 말이다. 이제는 소설 재벌의 반열에 들어간 스티븐 킹. 그가 인내해야 했던 10년이 넘는 무명작가 시절이 없었다면 그의 창작물은 별 볼일 없는 종이 뭉치에 불과했을지도 모른다. 예외는 없다. 절실함만이 작품을 잉태한다.

> "그렇다면 언제나 완전한 문장만 써야 하는 것일까? 그런 생각은 버리는 것이 좋다. 여러분이 순전히 문장의 파편들만 가지고 작품을 써도 경찰이 와서 잡아가는 일은 없을 것이다." (145)

『유혹하는 글쓰기』는 마치 수학 교과서 같은 '해라' 또는 '하지 마라' 식의 글쓰기 교재와는 다른 내용으로 구성되어 있다. 당연히 설득력이 높은 책에 속한다. 저자는 자신의 성장 과정과 글쓰기 인생의 족적을 통해서 독자와의 소통을 시도한다. 참고로 책에서 글쓰기에 관한 분량은 절반 정도를 차지한다. 자서전과 글쓰기가 합쳐진 형태로 만들어진 절반의 글쓰기 책이다.

완전한 문장에 함몰할 필요가 없다는 스티븐 킹의 주장에 공감한다. 그는 아무리 유명한 작가라도 간혹 수사학의 규칙을 무시하곤 했다는 윌리엄 스트렁크(William Jr. Strunk)의 말을 인용한다. 여기에서 스티븐 킹의 소설처럼 작은 반전이 일어난다. 잘 쓸 자신이 없다면 차라리 규칙을 따르는 편을 택하라는 조언이다. 이는 기본적인 문법조차 인지하지 못하면서 생각나는 대로 써 대는 작가에게 날리는 경고장이다. 그는 기초적인 문법조차 이해하지 못하는 작가 지망생이라면 유능한 작가이기를 욕망하지 말라고 조언한다.

> "나는 창작 교실이나 세미나에 참석하는 것이 초보 소설가들에게 도움이 되느냐는 질문을 자주 받는다. 그런데 그렇게 묻는 사람들이 원하는 것은 기적의 특효약이나 비결이나 덤보의 마술 깃털 따위일 때가 너무 많아서 탈이다." (286)

스티븐 킹의 결론은 창작 교실 무용론으로 기울어진다. 그렇다고 이러한 기관이 절대적으로 필요가 없는 존재라고 단정하지도 않는다. 그는 아무리 멋진 창작 교실에서 학습하는 자일지라도 결국 진주를 만들어 내는 것은 조개껍질 속으로 스며드는 모래알이라고 설명한다. 게다가 창작자의 작품에 대해 강평하는 내용은 대부분이 실질적인 조언이 아니라 허세에 불과하다고 지적한다. 이러한 과정은 작가 지망생에게 필요한 창조적 에너지를 엉뚱한 일에 낭비하는 셈이다.

반대로 스티븐 킹은 창작 교실이나 세미나에서 얻을 수 있는 장점을 말미에 추가한다. 혼자 글쓰기, 즉 일찍부터 친구나 친척의 동정 어린 눈길에 익숙한 작가 지망생은 자칫하면 설익은 자아도취나 좌절에 휩싸일 수 있다는 의미다. 따라서 시나 소설을 쓰겠다는 진지한 욕망을 진지하게 존중해 주는 기관에 속하는 일이 이러한 부작용으로부터 어느 정도 자신을 보호해 줄 수 있다고 부언한다.

필자 또한 글쓰기를 위해 3명의 기성작가와 1명의 출판 관계자로부터 소중한 가르침을 받았다. 그들 덕분에 매 주말마다 서재에서 글쓰기에 몰두하는 일상이 가능해졌다. 고마운 일이다. 스티븐 킹은 책 후반부에서 촌철살인을 남긴다. '당신은 지금 돈 때문에 글을 씁니까'라고.

멋진 질문이다. 여기에 고개를 끄덕이는 작가라면 결코 좋은 글을 쓸 수 없다는 충고를 잊지 않는다. 글쓰기의 순수한 쾌감. 신인 작가에게 닥친 절망의 상황에서 종지부를 찍을 수 있는 가장 빠른 방법은 바로 신념에 의한 글쓰기라고 일갈한다.

작가로 가는 길은 자신만의 글쓰기에서 다시 보여 주는 글쓰기로의 변화 과정을 겪어야만 한다. 그 과정에서 감수해야 하는 독자의 비평과 지적의 순간이 없다면 작가라는 직업이란 단지 신기루에 불과하다. 모름지기 작가의 길이란 상처와 좌절을 동반해야만 하는 지난한 과정이다. 지금 이 시각에도 미래의 작가를 꿈꾸는 이들이 즐비하다. 그들은 자신만의 문체와 철학을 다듬으며 퇴고에 퇴고를 거듭한다. 유명 작가의 문장을 되새기며 인생에 남을 빛나는 글을 염원한다.

『유혹하는 글쓰기』는 소설 창작에 관한 대표 도서로 알려져 있다. 시와 함께 창작 난이도가 높다고 알려진 소설이라는 장르는 글쓰기 초보자가 덜컥 도전하기에는 어려움이 많은 것이 사실이다. 스티븐 킹의 열혈 독자가 아니라면, 소설가 지망생이 아니라면, 다른 저자의 글쓰기 책을 접해 보는 것도 좋지 않을까 싶다.

30. 프랑스 문학계의 이단아

지도와 영토 (미셸 우엘벡)

미셸 우엘벡(Michel Houellebecq)이라는 이름에서 풍기는 중량감은 결코 가볍지 않다. 그는 21세기 프랑스 문학계에서 가장 논쟁적인 작가로 꼽힌다. 우회적 어법보다는 직선적인 어법으로 물질문명의 속살을 통렬하게 파헤치는 방식을 선호한다. 비록 이데올로기적인 지향점은 다르지만, 마치 J.M. 쿳시와 흡사한 줄거리의 전개 방식을 펼치는 작가에 속한다.

그렇다면 미셸 우엘벡 스스로가 바라보는 자신의 모습은 어떨까. 그는 프랑스의 전투적 지식인 베르나르 앙리 레비와 함께 완성한 편지 형식의 책 『공공의 적들』에서 자신은 허무주의자, 냉소주의자, 인종주의자, 여성 혐오론자, 반동적인 인물이라고 털어놓는다. 게다가 우파 아나키스트라는 호칭을 선호한다고 첨언한다. 스스로를 진보적 보수주의자라고 지칭하는 셈이다.

실제로, 2008년 『타임(*Time*)』지에서는 프랑스 문화와 지성의 끔찍한 쇠퇴를 보여 주는 대표적인 인물로 미셸 우엘벡과 베르나르 앙리 레비(Bernard-Henri Levi)를 선정한다. 20세기 프랑스 지식계를 대표했던 실존철학자 장 폴 사르트르(Jean Paul Sartre) 이후 21세기를 이끌어 갈 만한 프랑스산 지식인의 부재를 말해 주는 대목이다.

프롤레타리아 출신의 문제적 작가 미셸 우엘벡과 반대로, 부르주아 출신이면서 좌파 성향의 행보를 멈추지 않는 베르나르 앙리 레비의 존재감은 이전에 활약했던 프랑스 지식인에 비해서는 무게감이 다소 떨어진다. 프랑스 지식계의 마지막 자존심으로 존재하는 두 작가는 서로 다른 위치에서 자신의 사상을 전파한다.

미셸 우엘벡의 한글판 소설은 등단작인 『투쟁 영역의 확장』을 비롯하여 『어느 섬의 가능성』, 『플랫폼』, 『소립자』 등이 있다. 이후 그는 2015년에 소설 『복종』을 출간한다. 과거 이슬람인에 대한 경멸적인 발언으로 비판을 받았던 미셸 우엘벡이 자신의 아킬레스건을 문학 소재로 완성해 낸 작품이다. 그는 경제 제일주의를 맹신하는 동시에 성적 억압에서 자유롭지 못한 현대인을 소재로 한 스토리텔링을 선호한다. 따라서 미셸 우엘벡의 신작이 등장하면 프랑스 사회는 격렬한 찬반양론에 휩싸이곤 한다.

"과거의 위대한 화가들이 존경받는 것은 그들이 세계를 바

> 라보는 시각을 혁신적이고도 일관되게 발전시켜왔기 때문이다. 요컨대 그들은 실제 대상을 그림 속 대상으로 변형시키기 위해 늘 같은 방식으로 그림을 그렸고 늘 같은 수법과 화풍을 고수했다." (41)

『지도와 영토』에 등장하는 주인공 제드는 화가다. 그는 무명 시절을 거쳐 이젠 자신의 이름으로 전시회를 열 만한 중견작가로 입지를 굳히는 중이다. 제드가 시도하는 구상화는 그에게 부와 명성을 안겨 준다. 위에 인용한 문장은 제드가 중학생 시절 받았던 미술 수업의 내용이다. 이 부분에 대해서 제드가 공감을 했다는 흔적은 찾아볼 수 없다. 혁신이란 일반적으로 변화를 동반하는 예술 기법에 속한다. 반대로 일관성이란 변화보다는 기존 형식의 고수라는 범주에 속한다. 상충하는 화두를 동시에 끌어내는 미셸 우엘벡이 상상하는 예술가란 물과 기름과 같은 주제를 한꺼번에 끌고 나가는 인물을 의미한다.

> "제드는 고전에 대한 소양이 풍부하긴 했지만, 차후에 종종 평가받은 바와는 달리 중세의 거장들을 향한 종교적인 존경심에 사로잡혀 있지는 않았다. 그는 처음부터 렘브란트와 벨라스케스보다는 몬드리안과 클레를 훨씬 좋아했다." (56)

작가의 분신으로 보이는 제드는 프랑스판 수능 시험인

바칼로레아에 단번에 합격하는 저력을 보인다. 이는 동급생들이 가진 일반적인 성향, 즉 자신의 운명에 대한 불평과 다른 삶에 대한 상상이 제거된 성향과 제드의 성향이 서로 달랐기에 가능한 결과였다. 게다가 제드는 또래 친구의 관심사인 우정에 대해서는 아무런 관심도 없는 건조한 인물이다. 그는 오후 내내 도서관에서 공부에 열중한 덕에 원하는 국립예술대학에 무난히 입학한다. 그는 개성적이고, 박식하고, 성실한 학생이었다.

소설에서는 미술 전반에 관한 다양한 담론이 등장한다. 미술사, 미술 작품, 미술 평론가, 미술가에 대한 기초 지식이 전무하다면 『지도와 영토』는 살짝 지루한 예술 소설로 추락할 수 있다. 물론 반대의 경우라면 페이지를 넘기기가 아쉬울 정도로 몰입의 기쁨을 누릴 수 있다. 주인공은 고전에 대한 소양과 함께 현대미술에 대한 관심을 저버리지 않는다. 소설에서는 현대 추상화가인 피에트 몬드리안(Piet Mondrian)과 파울 클레(Paul Klee)가 제드의 예술적 감각을 자극하는 화가로 등장한다.

> "그녀는 시간당 이백오십 유로를 받았고, 항문섹스에는 백 유로가 추가되었다. 제드는 그녀의 활동에 아무런 이의가 없었다. 오히려 홍보용 인터넷사이트를 업데이트하라며 에로틱한 사진을 찍어주겠다고 제안할 정도였다." (62)

작가 미셸 우엘벡이 풀어내는 글의 특징은 마치 식사하듯이 자연스럽게 섹스를 묘사한다는 점이다. 현대사회에서 자유로운 섹스란 곧 억압을 상징한다. 인간은 끊임없이 만족할 만한 섹스를 갈망하고 추구하지만 현실은 이를 충족시켜 줄 수 없는 제도와 관습의 틀에서 제자리걸음을 반복한다.

항문 섹스를 원할 경우, 100유로를 덤으로 받는 여자의 이름은 주느비에브이다. 제드가 처음으로 잠자리를 같이 한 여자다. 둘의 관계는 관계 지향적인 삶에서 크게 벗어나 있다. 학비를 번다는 명목으로 일주일에 몇 시간만 할애하고도 5천에서 1만 유로 사이의 소득을 올리는 주인공의 여자 친구. 그들은 겨울 휴가를 모리셔스 섬이나 몰디브에서 함께 보낸다. 여행 비용은 전적으로 주느비에브의 몫이다.

계산적으로 보이는 그들의 관계에서도 인간적인 갈등은 엄연히 존재한다. 주느비에브는 주인공에게 예술가로서의 가능성이 충분히 내재되어 있다고 언급한다. 반면 자신의 직업은 돈과 재미가 전부라고 설명한다. 주느비에브의 발언에도 불구하고 소설에서는 예술과 매춘의 가치가 돈이라는 거대 담론 속으로 슬그머니 숨어 버린다. 주느비에브는 자신의 삶을 관조적으로 바라볼 뿐이다.

"제드 마르탱의 작품은 흔히 현실에 대한 냉철한 인식과 관조적 시선의 결과물이라고 소개되었으며, 그는 지난 세기의 위대한 개념미술가의 맥을 잇는 계승자로 평가받았다.” (68)

여기에서 제드의 자리에 미셸 우엘벡을, 개념 미술가의 자리에 문학가가 들어간다면 어떨까. 이 문장만큼 저자 자신의 영혼을 제드에게 투사하는 부분은 없다. 단지 작가에서 미술가로 자리바꿈했을 뿐, 소설은 아무 일도 없다는 듯이 중반부로 흘러간다. 제드는 예술가로서 자신의 이름이 알려지면서 수많은 전시회 오프닝, 영화 시사회, 문학 칵테일파티 등에 참석한다. 저자는 프랑스산 예술가의 삶이 오르막길을 직진하게 내버려 두지 않는다. 이후 부분은 『지도와 영토』를 읽으면서 직접 느껴 보기를 바란다. 영화의 마지막 장면을 미리 말하는 것만큼 김빠지는 일은 없으니까.

예술 문학은 저자의 폭넓은 역사관과 예술 감각을 필요로 한다. 실제 자신이 몸담았던 예술 세계를 문학으로 승화시키는 일도 적지 않다. 국내 문학계에서는 강석경 작가의 『가까운 골짜기』가 이에 속한다. 실제로 강석경은 조소학과를 전공하여 이를 기반으로 한 체험 소설의 형식으로 『가까운 골짜기』를 완성한다.

미셸 우엘벡의 시선은 미술에 관한 폭넓은 지식과 시각을 기반으로 『지도와 영토』를 완성한다. 그는 늘 방관자의 시각으로 등장인물에 관한 개입을 삼간다. 작가의 매력이란 미셸 우엘벡처럼 독자에게 소설에 참여할 공간을 만드는 데 있다. 그의 또 다른 예술 소설의 출간을 기다려 본다.

제4장

다시 일상으로 돌아가는 길

31. 예술의 심장을 쏘다

예술과 다중 (안토니오 네그리)

안토니오 네그리(Antonio Negri)에 필적할 만한 이탈리아 출신의 지식인을 찾기란 쉽지 않다. 이제부터 재판 과정 없이 징역 4년을 선고받았던 저항적인 지식인의 흔적을 따라가 보자.

일본 프로 레슬러이자 정치인 안토니오 이노키는 알지만 안토니오 네그리에 대해서는 아무런 지식이 없다는 이를 위해 3권의 책을 추천한다. 일명 네그리 3부작(마이클 하트 공저)이라 불리는 『제국』, 『다중』, 『공동체』가 그것이다. 이 중에서 하나를 고르라면 단연 『제국』을 꼽고 싶다. 밀가루와 치즈가 빠진 피자가 존재할 수 없듯이, 네그리 3부작의 신호탄이었던 『제국』이 존재하지 않았다면 나머지 후속 도서는 탄생하지 못했을 것이다.

소개하는 책은 3부작 출간 이전에 완성한 『예술과 다중』이다. 이른바 '전투적 사상가의 예술철학서'라 정의할 수 있다. 9편의 편지 형식으로 꾸며진 『예술과 다중』은 추상, 포스트모던, 숭고, 집단 노동, 아름다움, 구축, 사건, 신체, 삶, 정치라는 예술과 관련한 화두를 다루고 있다. 1988년을 기점으로 완성한 출판물답게 포스트모더니즘에 관한 저자의 사상이 빈번하게 등장한다.

200페이지를 살짝 넘는 작은 크기의 양장본이라고 가벼이 봐서는 안 될 것이다. 적어도 예술이란 정치와 사회와는 동떨어진 창작자만의 자위행위라고 평가절하하려는 이에게 『예술과 다중』만 한 보약은 없다. 투옥과 망명, 자발적 귀국과 재투옥, 가택 연금이라는 탄압 과정에서 쓰인 안토니오 네그리의 저서는 현대를 살아가는 물질주의 신봉자에게 경종을 울릴 만한 글귀가 곳곳에 숨어 있다.

『예술과 다중』은 이탈리아 급진당 의원으로 당선되어 4년간의 수감 생활을 마친 뒤에도 계속된 정부의 기소 위협을 피하기 위해 프랑스로 망명했던 시기에 완성한 저서다. 당시 안토니오 네그리는 푸코와 들뢰즈류의 후기구조주의 지식인들의 사상에 영향을 받고 있었다.

> "당신은 포스트모던에 구역질을 느끼는 것 같습니다. 당신의 주장에 따르면, 포스트모던은 그 자체가 실현되는 시간으로부터 분리되는 것으로 스스로를 규정하고 있으니까, 포스트모던 따위는 거짓부렁이라고 하는 것일 테지요." (46)

일반적으로 포스트모던을 생략한 1980년대 예술 사조란 성립 자체가 불가능하다는 의견이 적잖다. 안토니오 네그리는 지인이었던 지안 마르코에게 보내는 편지에서 포스트모던을 옹호하는 이론을 펼친다. 그는 추상의 진리로서, 경험의 조건으로서 포스트모던의 가치를 언급한다. 이는 대중이 원하든 원하지 않든 간에, 어떤 의미나 내용이든 간에, 모든 예술은 새로운 세계의 내부에서 생겨날 수 있다는 주장이다.

안토니오 네그리에게 포스트모던이란 만들어진 존재와 사실에 관한 의도적인 거부나 부정이다. 결국 하나의 특이한 논리 실체이자 새로운 자연의 의미로서 포스트모던은 진지를 무효화시킨 다음, 강고하고 새로운 진리의 규정을 만들어 내는 규정의 의미로서 존재한다.

> "예술작품의 특이성은 매개도 상호교환 가능성도 아니며 오히려 절대적인 것을 재생산할 수 있는 가능성입니다. 회화는 음악이나 시 등과 마찬가지로 여러 특이한 개체나 특이한 경험으로부터 형성되는 다중에 의해 향유될 수 있는 가능성의 형태로 그 보편성을 현시합니다." (86)

안토니오 네그리는 예술의 보편성의 전제 조건을 다중에 의해 향유될 수 있어야 한다는, 마치 윤리적 행위처럼 다중이 접근 가능한 범위 내에서 가능하다고 언급한다. 반대로 사적인 방법으로 예술을 재영유화 하는 것, 예술 작품을 가격으로 환원하는 태도는 예술을 파괴하는 행위라고 지적한다. 자본주의에 종속되어 버린 예술 세계에 대한 저항의 표현이다.

일반적인 공산품처럼 예술 작품이 시장가치에 의해 평가받는 구조를 안토니오 네그리는 철저하게 부정한다. 결국 예술 작품의 재생산 가능성은 통속적인 예술관 따위가 아니라 시장의 실존적 무가치의 압축된 총체와 단절하는 윤리적 경험을 구성하는 것이라는 네그리식 결론에 도달한다. 이는 가격으로 환원한 단일성이 아닌 작품 자체의 특이성으로 이루어진 다중을 대립시키는 반시장적 논리에 해당한다.

미술품의 존재 가치가 종교인, 자본가, 정부, 갤러리, 옥션으로 변해 가는 과정에서 경제 가치를 생략한다는 이론은 시장주의자에게는 선뜻 받아들여지지 않을 부분이다. 현실을 거세한, 지나친 논리의 비약에 대한 거부감 때문이었을까. 안토니오 네그리는 편지 후반부에서 예술 행위를 시장으로 환원하는 일상적인 모욕을 피하려는 자신의 주장을 일종의 유토피아라고 정리한다.

아쉽게도 안토니오 네그리의 예술론은 구체적인 대안 없이 이어진다. 시장 논리에 함몰된 예술품과 이를 생산하는 예술가에게 필요한 대안은 생략한 채, 다중의 시각에서 서둘러 정리한 듯한 저자의 주장은 석연치 않은 구석이 적지 않다.

> "예술을 산업적인 복제의 기술적 격자 내에서 지탱하기에는 아주 힘들게 됩니다. 예술은 모든 감옥을 파괴하고 현재의 역능으로서 자신을 현현하고 있습니다." (112)

네오마르크시스트로 알려진 안토니오 네그리답게 예술의 무한한 잠재력에 대한 언급이 흥미롭다. 그에게 예술 행위란 착취, 사용자 곁에서의 소외와 예속 등의 의무로부터 해방된 노동에 해당한다. 다시 한 번 그의 예술에 대한 반문화적인 시각을 확인해 주는 문장이다.

저자가 언급했듯이, 과연 아름다움의 생산이란 권력으로부터 해방된 노동일까. 예술은 이미 절대 권력의 선전 수단으로 이용당한 지 오래다. 지휘자 빌헬름 푸르트뱅글러(Wilhelm Furtwängler)가 그랬고, 작곡가 클로드 아실 드뷔시(Claude Achille Debussy)가 그랬으며, 저항의 상징이었던 수많은 록 밴드가 정치의 지원 세력이자 선동 기구로 소비되었다.

그의 예술 옹호론은 자칫하면 정치와 자본과는 철저하게 분리된 별개의 존재로 예술이 자리 잡아야 한다는 억지 논리로 추락할 수 있는 위험을 내재한다. 필자가 생각하는 예술이란 안토니오 네그리의 그것처럼 고고하지도, 독립적이지도 않은 존재다. 예술이 사회적 가치를 지니기 위해

1980년대 한국을 상징하는 민중 화가의 작품처럼 정치적 상징성을 지녀야만 한다는 주장이 아니다.

예술 작품에도 정치적인 농도가 각기 다를 수 있다. 중요한 부분은 예술 행위와 예술가와 예술 작품과 이를 둘러싼 대중과의 관계가 정치권력처럼 단단한 내성과 저항력을 가지고 있느냐, 이다. 자본의 지원 없이는 도저히 홀로 설 수 없는 악어새의 운명으로 치닫는 예술 시장의 상황에 대해 저자는 별다른 언급이 없다.

그가 바라보는 진정한 예술가, 즉 실현 가능한 전복 행위와 해방된 자유의 상징은 아쉽게도 21세기에는 거의 존재하지 않는다. 이미 1980년대는 앤디 워홀이 주도하는 상업 예술인 팝 아트가 물질문화와 혈맹을 맺은 시대였다. 따라서 안토니오 네그리의 예술론은 자본과 권력의 그늘에서 고고하게 떠도는 은둔자의 결과물로만 존재한다. 서평을 쓰는 내내 씁쓸한 감상이 사라지지 않았다. 어쩌면, 네그리가 원했던 예술 세계가 필자가 오랜 시간 갈망했던 예술의 바람직한 미래였으니까.

32. 미디어와 기생충

죽도록 즐기기 (닐 포스트먼)

마셜 매클루언의 책 『미디어의 이해』는 신문방송학과 학생들의 필독서였다. 『미디어의 이해』는 대중이 탄산음료처럼 흡수하는 미디어를 복잡한 가설과 다양한 사례를 동원해서 정리한 연구서에 해당한다.

그는 『미디어의 이해』 출간 이후 대학교수라는 직함보다 언론인이자 미디어계의 스타로 등극한다. 심지어 우디 앨런(Woody Allen) 감독의 영화 〈애니 홀〉에 단역배우로도 출연한다. 미디어 연구자에서 미디어 예능인으로 신분을 이동한 사회학자 마셜 매클루언. 대중문화 연구에 있어 『미디어의 이해』가 고전으로 인정받는 이유는 다음과 같다. 난해한 저술에도 불구하고 미디어를 인간의 신체에 빗대어 접근성을 좁혔기 때문이다.

여기, 작가 조지 오웰(George Orwell)과 올더스 헉슬리(Aldous Huxley)의 후예라 불리는 마셜 매클루언의 선언에

답하는 결과물이 있다. 제목하여 『죽도록 즐기기』, 원제는 "Amusing Ourselves To Death"이다. 그룹 핑크 플로이드(Pink Floyd)의 리더였던 로저 워터스(Roger Waters)는 자신의 솔로 앨범 〈Amuse To Death〉를 발표하여 닐 포스트먼의 저작물을 패러디한다. 실제 로저 워터스는 텔레비전을 시청하던 중 부시 대통령이 주도한 걸프전 장면을 마치 전자오락처럼 희화화하여 생방송하는 미국에 대한 반감으로 앨범을 제작한다.

다행히 『죽도록 즐기기』는 마셜 매클루언의 저서들처럼 난해한 사례와 비유를 남발하지 않는다. 책의 부제인 '성찰없는 미디어 세대를 위한 기념비적 역작'이란 표현이 어색하지 않을 정도로 간명한 비유와 예시가 눈에 띈다. 1985년에 저술한 책이지만 지금 읽어도 고개를 끄덕일 부분이 적지 않다.

실제 닐 포스트먼(Neil Postman)은 자동차의 전자식 자동 창문이나 개인용 컴퓨터를 부정하는 대안적 삶을 실천했던 인물이다. 또한 초, 중등학교 선생이라는 경력을 바탕으로 미디어와 교육과의 관계를 집요하게 파헤친 커뮤니케이션 이론가다. 그는 미디어 매체의 유해성을 지적하는 방대한 저작물을 남긴다. 미디어 이론가로서 출발하여 미디어 스타로 등극했던 마셜 매클루언과는 사뭇 대조되는 삶을 살았던 인물이다. 이제 닐 포스트먼의 세계로 들어가 보자.

“하루의 뉴스는 우리의 기술적 상상력이 빚어낸 허구다. 조금 더 정확하게 표현하자면, 이는 미디어가 주관하는 이벤트에 불과하다. 요사이 우리는 세계 도처에서 단편적인 뉴스를 접하는데, 이는 우리가 이용하는 여러가지 매체가 의사소통 과정을 무의미한 조각정보로 파편화시키는 속성을 갖고 있기 때문이다.” (24)

뉴스의 문제점은 어제 오늘의 이야기가 아니다. 멀리 돌아갈 것도 없다. 우리나라 종편 방송의 현실만 봐도 설명이 가능한 부분이다. 보수 정권에서 내리막길을 걷는 신문산업의 대안으로 제공한 종편 방송의 콘텐츠는 시행 초기에 여러 문제점을 양산했다. 최대한 가치중립적인 시각에서 사건 사고를 전해야 하는 미디어의 기본 정신을 모르는 언론인은 없다. 각본 없는 드라마가 아닌, 각본 있는 드라마를 반복 청취해야 하는 시민은 뉴스에 지배당하기 십상이다. 시청자의 머릿속에는 미디어가 발사한 총알에 여기저기 구멍이 뚫린 좀비의 뇌가 이식되어 있다.

시야를 조금 넓혀 보자. 세계의 뉴스에는 미국을 포함한 영어권 국가와 일부 유럽 선진국의 사건 사고로 가득 차 있다. 남미와 중동 지역에서 수천 명이 죽는 대형 테러 사건이 연이어 터진다 해도 눈 하나 깜짝하지 않는다. 이유는 다시 미디어다. 미디어를 쥐락펴락하는 거대 자본이 남미를 포함한 제3세계 국가의 이해관계에는 전혀 관심이 없기 때문이다. 그들이 집중하는 뉴스는 미국을 포함한 군사 대국의 이권과 이를 둘러싼 이해관계다. 국가, 인종, 종교, 지역 갈등의 촉매제가 바로 미디어라는 사실이다. 결국 이러한 미디어 조작에 놀아나는 대상은 폭력적인 뉴스의 수신자인 대중이라는 사실을 명심하자.

> "나는 인쇄술이 우리 문화의 변방으로 밀려나고 텔레비전이 그 중심부를 장악하면서 공공담론의 진지함, 명료함, 무엇보다도 그 가치를 위험할 정도로 저하시킨다는 점을 드러내고자 애쓸 것이다."(56)

닐 포스트먼의 예언은 정확히 들어맞는다. 1980년대를 호령하던 뉴스위크, 타임 등의 거대 인쇄 미디어 업계는 인터넷과 스마트폰의 광폭 횡보에 자리를 내줘야만 했다. 이제 지하철에서 신문을 뒤적이는 승객을 찾아보기란 힘들다. 그렇다고 종이 책을 펴는 독자를 찾기도 쉽지 않다. 그들의 손에는 담뱃갑보다 조금 큰 스마트폰이 자리를 차지한다. 스마트폰을 통해 뉴스를 접하기에 아무런 문제가 없다고 낙담하지 말기를 바란다.

믿기지 않는다면 스마트폰으로 포털 사이트의 뉴스를 들어가 보자. 무엇이 나오는지 꼼꼼하게 확인해 보자. 기껏해야 막말 논쟁, 연예인 스캔들, 프로 야구팀의 연승 기록, 흥행 영화의 뒷담화가 이어진다. 이걸 과연 뉴스라고 말할 수 있는가. 종이 신문의 절반 가까이를 차지했던 평론 기사나 기획 기사는 아예 뒷전으로 빠져 있다. 말 그대로 대중 스스로가 비판하거나 사유할 거리를 남겨 두지 않겠다는 의도이다.

그렇다고 이를 닐 포스트먼처럼 미디어 업계만의 문제로 몰아갈 부분은 아니다. 절반의 책임은 미디어 체계에 맹종하고 환호하는 대중에게 있다. 그들 스스로 사유와 비판을 거부하고 일상의 편리와 찰나의 자극을 선택한 결과다. 미디어는 사고 자체를 포기해 버린 무지한 인류에게 치명적인 손상을 끼치는 데 여념이 없다.

> "텔레비전은 문자문화를 확대하거나 확장하지 않는다. 오히려 문자문화를 공격한다. 설사 텔레비전이 무엇인가의 확장이라 하더라도, 19세기 중반 비롯된 전신과 사진기술의 확장이지 15세기에 발명된 인쇄기의 확장은 아니다." (137)

닐 포스트먼은 책 후반부에서 텔레비전 매체와의 전쟁을 선포한다. 미디어를 인체의 확장이라고 주장했던 마셜 매클루언의 이론을 정면으로 반박하는 태도다. 닐 포스트먼의 발언이 나온 지 34년 후, 세상은 무엇이 달라졌을까. 바보상자라 불리던 텔레비전의 두께가 얇아지고, 화질이 좋아졌다는 점. 기껏해야 텔레비전에서 스마트폰으로 매체 이동을 한 점을 제외하고는 모든 상황이 그대로다.

시청자는 여전히 텔레비전에서 자리를 뜰 줄 모르고, 외출과 동시에 주먹만 한 텔레비전을 휴대하고 다닌다. 기껏해야 가십거리 기사로 도배질한 옐로저널리즘을 훔쳐보거나 미드에 심취할 뿐이다. 그것도 아니라면 게임과 스포츠 중계를 보는 행위만을 반복한다. 저자는 멋진 신세계에서는 사람들이 생각 없이 웃고만 있다는 사실 때문에 괴로워하기보다는 자신이 무엇을 보고 있는지, 왜 생각을 멈추었는지 모르기 때문에 고통스러워한다고 말한다.

과학의 발전은 인간의 사유 능력을 앗아갔다. 사이버공간을 맴도는 수많은 정보는 정제되지 않은 상태로 인간의 심장에 침투한다. 지혜로 전환되지 못한 정보만이 난립하는 세상에서 인간은 스스로 판단하고 비판하는 기능을 잃어 간다. 유명인의 사건 사고에 일희일비하면서 일생을 소모한다. 자유, 평등, 평화라는 거대 담론은 미디어 세계에서 퇴장한 지 오래다. 오로지 조회 수와 검색 순위만이 판치는 아수라의 재현을 보면서 닐 포스트먼은 자신의 예상이 틀리지 않았음을 확인할 것이다. 무의미한 정보를 죽도록 즐기려는 미디어 광신도가 가득한 세상을 닐 포스트먼은 정확히 예측했다. 세상은 달라지지 않았다.

33. 사라진 것들을 사랑하라

인간의 조건 (에릭 호퍼)

지식인의 조건은 무엇일까. 학벌, 직업, 논문, 저서, 사회적 영향력 등을 떠올린다면 소개하는 에릭 호퍼(Eric Hoffer)는 '겨우 존재하는 사람'에 해당한다. 그는 내로라하는 학벌도, 번듯한 직업도, 알려진 논문도, 그렇다고 미국을 들었다 놓을 만한 사회적 영향력도 없는 인물이다.

뉴욕의 빈민가인 브롱크스에서 태어난 에릭 호퍼는 어린 시절에 시력을 잃는다. 이로 인해 정규 교육 과정을 거치지 못한 그는 15살 무렵에 기적적으로 시력을 회복한다. 눈이 다시 보이는 두 번째 세상을 경험한 에릭 호퍼에게 가장 절실한 행위는 다름 아닌 독서였다. 그에게 독서란 또 하나의 축복받은 신세계였다. 하지만 현실은 빈민층인 그에게 평탄한 삶을 허하지 않는다. 부모의 때 이른 사망으로 에릭 호퍼는 과일 행상, 부두 노동자, 사금 채취공, 음식점 웨이터라는 직업을 전전하며 떠돌이 노동자의 지난한 삶을 전전한다.

그에게 노동이란 독서와 글쓰기를 지속하기 위한 생존 수단이었다. 말 그대로 육체와 정신의 균형 잡힌 삶을 실천한 것이었다. 그가 쏟아낸 11권의 결과물은 에릭 호퍼를 미국을 대표하는 사회철학자의 반열에 올려놓는다. 실존적인 삶의 가치를 문장으로 완성한 에릭 호퍼. 학계에 기생하면서 정권의 나팔수 역에 충실했던 사이비 지식인들은 에릭 호퍼의 출현에 옷깃을 여미어야만 했다. 그의 글귀에서는 육체노동자의 거친 숨소리가 들려온다. 배운 자만의 엉성한 미사여구가 아닌, 정제된 문장마다 뜨거운 땀방울의 열기가 새어 나온다.

『인간의 조건』은 '에릭 호퍼 총서'라는 이름으로 2014년 국내에 출간된 3권의 시리즈 중 하나이다. 총 240페이지에 수록된 작가의 짧은 단상은 독자의 영혼을 차분하게 다잡아 준다. 참고로 『인간의 조건』에 등장하는 저자의 아포리즘이 기억에 남는 독자라면, 『영혼의 연금술』을 추천한다.

"믿음을 포기할 때, 우리는 이를 버리지 않고 삼켜버린다. 거룩한 대의를 포기하는 대신 자신을 내세우는 것이다. 그러면 결국 개인의 충동은 진정되기는커녕 격화되고 만다." (30)

에릭 호퍼가 생각하는 '믿음'이란 어떤 모습일까. 아마도 새로운 세상을 꿈꾸는 정치 운동가의 믿음처럼 거대하지 않을 것이며, 종교인의 믿음처럼 영원불멸하는 삶을 염원하지도 않을 것이다. 그가 상상하는 믿음이란 노동으로 점철된 시간 속에서 숨쉬고 살아 있다는 기적의 또 다른 모습이 아닐까 싶다.

미국 주류 사회에서 환영받지 못하는 독일계 소년의 성장기는 수난의 연속이었다. 맹인, 가난, 무학력, 외톨이, 차별이라는 장막 속에서 에릭 호퍼는 자살을 시도한다. 그의 재능이 못내 아까웠던 것일까. 세 번째 생을 시작한 그에게 독서란 다시 실명할지 모른다는 공포 속에서 치러진 일종의 고해성사였다. 상상을 초월하는 에릭 호퍼의 독서 탐닉은 그를 지식인의 영역으로 이동시킨다. 그가 언급했던 '거룩한 대의'란 독서와 글쓰기로 점철된 사고하는 삶이었다.

> "우리 인간에 대해 모든 것을 포용하는 한없는 동정심이 있어도 우리가 격변의 시대의 도저히 해결할 수 없는 문제까지는 건드리지 못하는 것은 아닐까? 지금까지 사회가 재출발을 할 때면 거기엔 반드시 악마가 숨어 있었다." (66)

1902년에 태어난 에릭 호퍼가 바라본 세상은 전쟁과 혁명의 소용돌이였다. 세계를 무력 충돌의 아비규환으로 몰아닣은 두 번의 세계대전은 유럽 출신의 에릭 호퍼에게 인간의 무력함을 확인시켜 주는 일종의 재앙이었다. 정의와 평화라는 이름으로 행해지는 엄청난 비극의 시간을 바라보면서 인간은 자신 속에 내재한 악마성을 발견하기에 이른다. 결국 인간은 악마와 천사라는 대립적인 가치를 동시에 가진 야누스 같은 존재라는 사실을 저자는 간파하고 있었다.

저자의 두 번째 고향인 미국은 세계대전의 수혜자로 우뚝 선다. 이후 미국이라는 중량급 복서의 의무 방어전이 다시 치러진다. 1950년 발발한 한국전쟁이 그것이었다. 결과는 무승부였다. 청교도의 나라이자 반공 국가였던 미국은 절반의 승리에 만족해야만 했다. 아슬아슬하게 세 번째 방어전을 치렀지만 네 번째 상대인 베트남은 생각보다 만만치 않았다. 결과는 판정패였다. 미국은 베트남전의 참담한 실패를 인정해야만 했다. 당시 미국 전역을 휩쓸었던 반전 열기는 히피즘, 인종주의 철폐, 동성애자의 권리선언 등으로 확대재생산 하는 과정을 치른다.

"어떤 것에 친숙해지면 감각이 흐려지고 무뎌진다. 예술가도 사색가도 흔해빠진 것을 창출하고 이미 알려진 것을 발견하는 데 몰두한다. 이들은 모두 사물의 초기 단계를 되살려서 생명을 유지한다." (130)

글 쓰는 자에게 창조란 익숙한 것과의 전투이다. 에릭 호퍼는 이를 간파하고 있었다. 그에게 창조란 생명이 있는 글을 만들어 내는 일종의 과정이었다. 그는 체코의 교육 개혁가였던 코메니우스(Comenius)의 말을 빌려 창조적인 지도자를 설명한다. 즉, 창의적인 교사란 덜 가르치면서도 학생이 좀 더 많이 배우게 하는 사람이라는 발언이었다.

에릭 호퍼가 바라본 최적화된 사회란 무엇일까. 이는 나이가 들어도 창조력이 확연히 감퇴하지 않는 사회를 의미한다. 그는 고대 그리스의 예술가가 노년기에도 위대한 작품을 줄기차게 내놓는 사례를 예로 든다. 하지만 그는 미국에서 상당수의 일류 작가가 40살이 넘으면 사양길을 걷는 20세기의 현실을 지적한다.

에릭 호퍼의 의견에 선뜻 동의하기 어려운 부분이 있다. 당시 그리스에서는 종교 기관과 국가의 물질적 후원 하에 지속적인 예술 행위가 가능했다는 점을 저자는 간과하고 있다. 자력으로 경제적인 수혜를 얻어 내기 위해서는 예술이라고 면죄부가 될 수 없다. 그는 적자생존의 늪에서 살아남기 힘든 직종이 예술가라는 점을 망각했던 것일까.

"자기 자신의 지식을 적용하여 다른 사람을 판단하는 일은 쉽지 않다. 인간은 결코 한 부류로 묶을 수 없으며, 조건 없는 사랑도, 완전한 증오도 없는 게 사실이지만. 그런데도 우리는 사람들을 명확하게 흑과 백으로 갈라서 판단한다."

(190)

에릭 호퍼의 글은 자신의 인생사처럼 질박하고 절실하기보다는 체제 순응적인 논조가 불규칙하게 등장한다. 어떤 장에서는 고개를 갸웃거리게 하는 인종주의적 발언까지 서슴지 않는다. 예를 들어, 아메리카 원주민만큼 미국을 증오하는 자는 거의 없다는 저자의 독설은 소외된 계급의 삶을 몸소 체험했던 작가의 진정성을 의심케 하는 대목이다. 태초부터 미국이라는 땅에 자리 잡았던 원주민의 권리 자체를 무시한 편견이다.

그는 원주민 대신 미국을 사랑해 주고 소중히 여겨 줄 새로운 이민이 필요하다고 역설한다. 국가가 배척하는 원주민에게서 국가에 대한 사랑을 강요할 수 있다는 말인가. 다독가로 알려진 그가 원주민의 비참했던 불평등의 역사를 몰랐다는 말인가. 실망스러운 대목이다.

반면, 미국의 역사를 말하는 부분에서는 정반대의 이론을 설파한다. 그는 흑인을 포함한 만성적인 빈곤층이 자유롭게 살 수 없는 나라가 미국이라고 지적한다. 여기에 방자한 부유층을 포함시킨 점이 흥미롭다. 에릭 호퍼가 보기엔 홀로 남겨졌을 때 잘 살아갈 수 없는 계급의 굴레에 경제 자본을 독점하고 있는 부유층이 사정권에 들어왔나 보다. 하긴, 자본이 인류의 자유를 허락해 주는 필요조건은 아닐 테다. 어쨌거나 지식인에게 문화적 일관성을 기대하는 건 금단의 사과를 스스로 씹으라는 일종의 강요에 해당한다. 이를 해결할 방안은 지식인의 끊임없는 자기 성찰과 실천이라는 데 이의를 달 독자는 많지 않을 것이다.

34. 실패한 자본주의를 말하다

멈춰라, 생각하라 (슬라보예 지젝)

산업혁명 이후 인간은 스스로 자본의 노예임을 자인했다. 자본을 수단으로 사랑을 매점매석하고, 자본을 독점하려고 양심을 내던지고, 자본을 훔치려고 이웃을 해치는 사건이 끊이지 않는다. 만물의 영장이라는 인간이 왜 자본이라는 마약에 무릎을 꿇었을까.

자본은 자연재해나 핵전쟁보다 파괴력이 강한 종자다. 인간 영혼의 지배자는 종교나 지식이 아닌 자본이다. 앞으로도 자본은 세상 곳곳을 부패시키는 악성 바이러스로 위력을 떨칠 예정이다. 그렇다고 이를 방치할 텐가. 여기 무패의 전적을 자랑하는, 자본주의와 맞서 싸우는 든든한 검투사를 소개한다.

이름하여 슬라보예 지젝(Slavoj Žižek)이다. 그는 유럽 발칸반도에 자리 잡은 슬로베니아 출신의 철학자다. 철학과 정신분석학을 전공한 슬라보예 지젝의 인기는 아직까지 사그라들지 않고 있다. 왜 사람들은 그의 논리에 귀를 기울이는가. 이유는 딱딱하고 난해한 철학을 영화, 오페라, 소설 등에 접목시키는 학문적 융합에 있다. 독자들은 대중문화 속에 숨겨진 철학 코드를 지젝 자신만의 목소리를 통해서 이해하고 공감한다.

그는 인터뷰에서 사유의 중요성을 강조한다. 이는 단순한 지적 호기심이 아닌, 전 생애를 걸쳐서 사유를 멈추지 말아야 한다는 일종의 철학적 선언이다. 슬라보예 지젝을 말할 때 빼놓을 수 없는 한국의 지식인이 있다. 바로 '로쟈'라는 별명으로 불리는 이현우다. 그는 앞서 소개했듯이 '로쟈의 저공비행'이라는 인터넷 서평가로 알려진 인물이다. 이현우는 자본주의 체제에 일조하는 발걸음을 멈추는 철학자가 바로 슬라보예 지젝이라고 말한다. 슬라보예 지젝은 집단 소비와 무한 노동의 물결에서 한 걸음 벗어나 인간이 처한 현실을 직시하라고 충고한다.

『멈춰라, 생각하라』는 자본주의를 향해 던지는 참된 사유의 메시지다. 그렇다면 사유란 무엇인가. 이는 인문 독서를 통해서 얻을 수 있는 소중한 자원이다. 독서와 사유. 다음 단계는 사유의 응어리를 토해 낼 수 있는 행위인 글쓰기다. 슬라보예 지젝은 글쓰기라는 행위로 깃털처럼 머릿속을 부유하는 사유의 조각을 배열한다. 배열의 간격과 순서는 지식인의 정체성에 따라 모양새를 달리한다. 독자는 그의 글쓰기를 접하면서 자신만의 사고 체계를 재정비할 수 있는 기회를 득할 수 있다. 여기, 자본주의와 일전을 펼치는 푸른 눈의 전투적 자유주의자가 있다.

> "우리의 목표는 이윤을 추구하는 재생산이라는 자본주의의 기본 틀은 유지하되, 글로벌 복지와 사회 정의를 확대하는 방향으로 자본주의를 조정하고 규제해나가는 것이다." (43)

슬라보예 지젝은 자본주의 체제를 송두리째 거부하는 인물은 아니다. 그는 산업혁명 이후 완성된 시장구조의 커다란 축인 자본주의를 부를 창출하는 최선의 방법이라고 인정한다. 하지만 그는 자본주의를 방치했을 경우, 인간이 감당해야 하는 수많은 재해를 경고한다. 노동 착취, 천연자원의 파괴, 집단 고통, 사회적 불의, 침략 전쟁 등이 이에 해당한다. 슬라보예 지젝은 자본주의를 미쳐 날뛰는 한 마리의 짐승에 비유한다.

결국 인류가 기대할 수 있는 해결책은 자본주의라는 날짐승을 길들이는 방법뿐일까. 그는 아무리 자본주의가 생산적이라고 해도 이 체제를 유지하기 위해 치러야 할 대가가 치명적이라고 지적한다. 슬라보예 지젝은 자본주의의 중심에 미국이라는 존재가 있음을 설명한다. 미국이 안전하고 안정적인 국가라는 환상은 경제적 요인보다는 이데올로기적, 군사적 요인에 기인한다. 이는 미국 입장에서 자국의 제국 역할을 정당화할 수 있는 중요한 증거다. 이를 통해서 미국이 취하는 경제적 대가란 말 그대로 고대 그리스에서 괴물 미노타우로스에게 바치던 약소국가의 제물과 다를 바 없다고 저자는 개탄한다.

> "〈300〉은 테르모필레 전투에서 크세르크세스가 이끄는 페르시아군의 침략을 저지하다가 전사한 스파르타 군인 300명의 무용담을 담은 영화로, 최근 미국이 처한 이란과의 긴장과 이라크 전쟁을 노골적으로 암시하는 최악의 애국적 군국주의 영화로 비난받았다." (216)

지젝이 소개하는 문화 콘텐츠는 영화 〈300〉이다. 미국산 블록버스터답게 선과 악의 이분법이 분명하다. 슬라보예 지젝이 비판하듯이, 영화에서 서양은 선인이자 전쟁의 피해자로, 동양은 악인이자 침략자로 등장한다. 관객은 영화를 보면서 미국의 이슬람권 문화에 대한 탄압과 전쟁 욕구를 깔끔하게 망각해 버린다. 하지만 지젝은 페르시아만에 위치한 전함에서 미사일을 발사하는 미국 군대가 바로 페르시아의 코끼리나, 거인, 거대한 불화살과 다를 바 없다고 말한다. 그는 〈300〉에 등장하는, 희생정신과 규율로 무장한 스파르타인이 미국의 점령에 맞서 아프가니스탄을 방어하는 탈레반과 훨씬 더 흡사해 보인다는 의견을 내놓는다.

"우리가 이미 봐왔듯이 좌파는 심각한 위기 국면에 접어들었다. 20세기의 그림자에서 여전히 헤어나지 못한 채, 아직 전면적인 패배조차 인정하지 않고 있다." (238)

그가 바라보는 세상은 여전히 어두컴컴한 암흑과 다를 바 없다. 자본주의가 초래한 경기 침체와 사회적 해체가 도래하고, 전 세계적으로 시위와 반란이 속출하고 있다. 이러한 물질 만능주의의 대항마로 존재했던 진보주의자는 어디에 있을까. 저자는 클라크의 말을 예로 들어 자본주의라는 호랑이가 현실에 머무는 상황에서 유일하게 합리적인 정치란 호랑이를 포용하기 위한 온건한 정치라고 정리한다. 이 대목에서 포용을 위한 구체적인 방법론은 나오지 않는다.

결국 인류가 확신할 수 있는 것은 기존 체계의 무한한 재생산은 불가능하다고 슬라보예 지젝은 말한다. 중동의 새로운 전쟁이나 경제적 혼란, 이례적인 환경 참사는 인간의 미래를 순식간에 바꿔 버릴 수 있는 대재앙에 해당한다. 그는 인류가 예측 가능한 미래의 재앙을 충분히 수용하면서 미래가 보내는 모호한 징후에 대해 스스로를 이끌어 가야 한다고 주장한다.

한편, 슬라보예 지젝의 논리를 정면으로 비판하는 지식인이 눈에 띈다. 바로 노엄 촘스키다. 패권주의 국가로 치닫는 미국을 비판하는 노엄 촘스키는 슬라보예 지젝의 저술에 대해서 난해한 수사만이 가득하다고 혹평을 가한다. 부분적으로 공감한다. 대중문화를 차용한 지젝의 접근 방식에는 이의가 없다. 하지만 슬라보예 지젝은 논리의 전개 방식에서 지나치게 현학적인 표식에 집착하는 경향을 보인다. 이러한 장식어가 많아질수록 저자가 원하는 공정 사회에 대한 절박함의 비중은 낮아질 수밖에 없다. 결과보다 과정에 지나친 비중을 두는 철학자 특유의 접근법이 공감대를 약화시킨다는 의문이 가시지 않는다. 때문에 슬라보예 지젝의 글쓰기는 직설법에 관한 고민과 실천이 필요하다는 생각이 든다.

결국 사유하는 인간의 부재가 사회적 불안을 야기한다는 슬라보예 지젝의 주장에는 부분적으로 공감한다. 하지만 조건적인 자본주의의 수용을 전제로 인간이 대처할 수 있을 것이라고, 이를 받아들이면서 부작용을 최소화하는 길이 전부라는 그의 논리는 찜찜한 구석이 적지 않다. 무늬는 좌파면서 자본주의의 대항마를 만들어 내지 못하는 슬라보예 지젝 역시 갈 길이 멀어 보인다는 생각에 마음이 무겁다.

슬로베니아는 발칸반도에서 일인당 국민소득이 가장 높은 나라다. 도시는 정갈하고 아름다운 호수와 알프스산맥이 보이는 빛나는 자연경관을 가지고 있다. 이러한 축복받은 환경에서 학자의 생을 이어가는 일은 슬라보예 지젝에게 커다란 축복이 아닐까 싶다. 발칸반도를 비극의 현장으로 몰아넣었던 전쟁의 참화에도 비켜난 나라. 슬로베니아의 수도인 루블라냐의 상징인 초록빛 용처럼 지젝의 사유와 언어가 차별받고 고통 받는 세계인의 마음을 어루만져 주었으면 하는 바람이다.

35. 살아 있는 자의 비극

가능성의 중심 (가라타니 고진)

가라타니 고진. 문학평론가에서 일본을 대표하는 지식인으로 자리 잡은 그에게서 리영희의 흔적이 느껴진다. 차이라면 리영희의 글쓰기는 독재 정권의 서슬 아래서 행해졌던 열린 글쓰기라면, 가라타니 고진의 글쓰기는 거품경제의 그늘 아래서 좌절하는 일본인과 이를 둘러싼 세계에 대한 조건부 글쓰기에 해당한다. 지금 일본은 오랜만에 찾아온 경기 호황에 빠져 있다. 중국의 약진 아래에서 마지막으로 누리는 수혜가 아닐까 싶다.

2008년 탄생한 인문 공동체인 인디고 연구소(InK)에서 일본과 한국에서 행해진 인터뷰를 정리한 『가능성의 중심』은 가라타니 고진의 세계관을 엿볼 수 있는 소중한 흔적이다. 책은 세 가지 영역으로 이루어져 있다. 첫 번째는 인디고 연구소와 질의응답 식으로 이루어진 내용이다. 두 번째는 문화 이론에 대한 가라타니 고진의 기고문이다. 마지막으로 외국 석학들이 바라본 가라타니 고진의 이론에 대한 해석이다. 말 그대로 가라타니 고진에 대한 기록의 결정체다.

마르크스를 무덤에서 다시 일으킨 가라타니 고진의 철학은 자본주의를 바라보는 방향에 있어 슬라보예 지젝과 커다란 차이점이 있다. 슬라보예 지젝은 갈수록 광포해지는 자본주의의 영향권에서 연대와 수용을 결합한 방어적 태도를 중시한다. 이는 자본주의의 평균수명이 무한대에 가깝다는 비관론에 근거한다.

반면, 가라타니 고진은 자본주의의 미래가 인간의 수명처럼 머지않아 종말을 고할 것이라는 논리를 펼친다. 이는 20여 년간 이어진 일본의 장기 불황으로 더 이상 출세에 연연하지 않는 젊은 세대를 분석하면서 얻어 낸 결과다. 그는 경제 불황이 인간을 자본의 욕망으로부터 벗어나게 해 주는 치유제가 될 수 있다고 자신한다. 반면, 자본주의의 산실인 서유럽과 자신이 속한 발칸반도 국가의 비교분석에 익숙한 슬라보예 지젝은 자본주의란 끝을 알 수 없는 불사조 같은 존재라고 우려한다.

일본의 지성이라 불리는 사사키 아쓰시의 『현대 일본사상』을 살펴보자. 그는 가라타니 고진의 사상은 표면적으로는 텍스트론에서 탈구축으로 이동하는 서구 현대사상에 보조를 맞추면서 자크 데리다(Jacques Derrida)에게는 없는 실존적인 고뇌를 추가한다고 분석한다.

한편, 박가분이 쓴 『가라타니 고진이라는 고유명』에서는 텍스트 속에 갇힌 실존의 한계를 벗어나지 못하는 가라타니 고진의 한계성을 강조한다. 이는 인간, 자기의식과 같은 인간 실존의 특수성을 포착하는 개념 역시 특수성과 일반성 사이의 회로를 벗어나지 못한다는 점을 의미한다. 저자는 의식 자체가 언어에 의해 규정되어 버린 이상 인간은 의식 속에서 현상하는 일반적인 범주와 술어를 통해 나라는 특수성을 한정할 수밖에 없다고 말한다.

> "자본주의는 단순하게 말하면 '상대를 수단으로서만 취급하는' 시스템입니다. 그리고 '신자유주의'란 상대를 수단으로서만 취급하는 것을 '자유롭게' 해도 좋다는 생각입니다." (39)

가라타니 고진이 바라본 미국은 어떤 모습일까. 그는 미국이 주장하는 자유와 평등의 논리는 형식적인 외침에 지나지 않는다고 단언한다. 미국의 고질적인 사회문제인 빈부 격차, 구직난, 불안정 고용의 문제는 이를 반증하는 사례다. 현대 미국의 윤리학은 임마누엘 칸트(Immanuel Kant)의 논리를 부정하는 공리주의라는 토대 위에 구축되어 있다. 하지만 이는 오로지 자본주의에 합치될 뿐이라고 저자는 비판한다. 타자를 수단으로서만이 아니라 동시에 목적으로서 취급하라는 칸트의 주장은 자본주의의 경연장인 미국에서는 통용되지 않는 가치임이 분명하다. 역으로 말하면, 칸트식 자유와 평등이란 인간보다 물질을 우선시하는 자본주의 국가에서는 실현 불가능한 명제에 해당한다.

> “자본은 스스로 증식할 수 있을 때에만 존속합니다. 그것을 할 수 없다면 종말을 맞이하게 되지요. 이러한 것들을 고려해본다면, 자본주의의 운명은 정해져 있습니다.” (112)

미국에 이어, 세계 자본주의는 개발도상국 중에서도 특히 인구가 가장 많은 중국과 인도에 의해 떠받쳐지고 있다고 저자는 주장한다. 그는 시간이 흐를수록 임금이 오르고, 소비는 포화 상태로 치닫고, 이윤율이 떨어지는 자본주의의 허상을 주목한다. 가라타니 고진이 바라본 작금의 자본주의의 나이는 중년기에 속한다. 이는 충분한 저항 기간을 거쳐 종국에는 스스로 존재의 이유를 잃어버린다는 가설이다. 하지만 그는 자본주의 이후 도래할 새로운 이데올로기에 대해서는 말을 아낀다. 아마도 자본주의의 전성시대가 막을 내린다 하더라도 그것이 영향을 미칠 수 있다는 우려 때문이 아닐까 싶다.

> “미국이 물러서지 않으면 동아시아의 재구축은 이루어질 수 없습니다. 뒤집어 보면 미국은 그 점을 가장 두려워하고 있습니다. 그래서 언제나 중국과 북한의 군사적 위협을 부추

기고 있는 것입니다." (134)

가라타니 고진이 원하는 동아시아의 재구축이란 어떤 모습일까. 설마 한국과 일본이 주변 군사 강대국의 첨예한 이해관계 속에서 자주적인 목소리를 높이는 상황을 의미하는 것일까. 저자는 한국과 일본 스스로가 동아시아에서 미국을 제외하고는 전쟁의 위기를 초래하는 요소는 없다고 말할 수 있는 상황을 적극적으로 만들어 내야 한다고 주장한다.

미국의 문제점은 그렇다 치자. 그렇다면 남북 대립의 열쇠를 움켜쥐고 있는 중국의 영향력은 어쩌란 말인가. 오키나와에서 미군의 철수가 우선시되어야 한다는 점까지는 이해한다. 그렇지만 미국에 이어 제국의 모습을 드러내려 하는 러시아와 중국의 존재에 대해 일언반구가 없는 저자의 해석에 의문이 생긴다. 게다가 독일, 이탈리아와 함께 2차 세계대전의 전범국인 일본의 군사적 영향력에 대한 고찰과 반성이 빠져 있음이 아쉽다.

가라타니 고진은 인터뷰에서 자신은 다른 누군가의 본보기가 될 만한 사람이 아니라고 토로한다. 또한 자신은 단 한 번도 세계적인 지성을 직접적인 목표로 삼은 적이 없다고 말한다. 30살이 될 때까지 해외에 나가 본 적이 없으며, 60살이 되기까지 일본의 문학과 사회에 대한 비평만을 써 왔던 경력이 이유라고 털어놓는다.

평화를 위한 세계 공화국을 만들어야 한다는 가라타니 고진의 주장은 앞으로도 다양한 논쟁의 벽에 부딪힐 것이다. 스스로가 사회를 이끌어 나갈 만한 지도자가 아니라고 설명하는 저자의 겸양적 태도는 일본의 고질적인 낮추기 문화를 떠올리게 한다. 적어도 글을 통해서는 저자의 정치적 노선을 분명하게 드러내야 하지 않을까 싶다.

가라타니 고진은 『가능성의 중심』 말미에서 현실에서의 타협은 어쩔 수 없다 하더라도 높은 이념을 포기하지는 말라고 제안한다. 21세기에 이르러 사망신고를 한 이데올로기의 전성시대를 회상하는 듯한 발언이다. 그는 이데올로기에 냉소를 던지는 주변인을 신뢰하지 않는다. 오히려 높은 이념, 구체적인 이념을 통해서 억압으로부터의 회귀를 시도하기를 원한다.

2018년에 제작된 다큐 〈무문관〉은 1,000일 수행에 들어가는 스님의 삶을 시간대별로 보여 준다. 가장 인상적인 장면은 수행 과정에서 암에 걸린 고승의 표정이다. 수염에 뒤덮인 수척한 모습이었지만 맑은 광채를 띤 눈빛에 순간 압도되었다. 하지만 암이라는 절체절명의 질병 앞에서 수행의 시간은 별 도움이 되지 못한다. 그렇다면, 암의 위치에 패권주의를 넣어 본다면 어떤 해석이 가능할까.

가라타니 고진이 주장하는 높은 이념이 패권주의의 물결을 막을 수는 없다. 그가 부르짖는 전 국민의 지식인화란 현실적으로 가능하지 않은 부분이다. 고로 지적인 성취와 제도적인 진보가 함께 이루어져야만 한다. 아울러 지식인과 일반인과의 괴리를 좁힐 수 있는 사회 환경의 조성이 뒤따라야만 한다. 살아 있는 자의 비극이란 자신을 벗어난 세계에 대한 지속적인 무관심이 원인임을 잊지 말아야 할 것이다.

36. 26살의 비망록

아웃사이더 (콜린 윌슨)

26살은 모호한 나이다. 젊음을 무기로 세상에 주먹질을 하기에는 책임이 뒤따르고, 기성세대의 태도를 취하기에는 설익은 부분이 적지 않다. 인간은 자신만의 26살을 살아가고 이를 기억한다.

나의 26살을 떠올려 본다. 소설과 음악 서적을 제외한 독서는 거의 시도하지 않았다. 그렇다고 인생의 스승이 존재하지도 않았다. 삶에 자극을 줄 만한 친구가 여럿 있지도 않았다. 당연히 글다운 글을 쓰지도 못했다. 가끔 술을 마시고, 역사를 멀리하고, 정치에 무관심했으며, 알량한 학점에 목을 매고, LP 음반을 구하려고 서울 시내를 휘젓고 다녔다.

『아웃사이더』는 2000년도 중반 무렵, 부산에 거주하는 지인을 통해 알게 된 책이다. 그는 내가 소장한 음반을 처분하는 과정에서 알게 된 인연이었다. 음반 거래 이후 가끔씩 안부를 전하는 관계였는데, 어느 날 책에 관한 이야기가 메일에 실려 있었다. 20대 시절 읽은 『아웃사이더』 이후 별다른 독서를 하지 않는다는 내용이었다. 도대체 어떤 책이기에 그의 독서를 멈추게 했단 말인가.

여기 빛나는 26살을 보낸 작가를 소개한다. 이름은 콜린 윌슨(Colin Wilson). 지금은 일반명사화 되어 버린 아웃사이더의 의미를 집요하게 파헤친 인물이다. 콜린 윌슨의 처녀작이자 최고작으로 알려진 『아웃사이더』를 들춰 보면 어마어마한 문학 내공에 기가 질릴 것이다. 그리고 조심스럽게 당신이 보낸 26살을 반추할지도 모른다. 그렇다. 콜린 윌슨은 고작 26살의 나이에 『아웃사이더』를 출간한다.

책은 실존주의 소설이라 불리는 앙리 바르뷔스(Henri Barbusse)의 『지옥』의 문구로부터 시작한다. 저자는 말한다. 아웃사이더란 언뜻 보면 사회문제이며, 눈에 띄지 않는 존재라고. 문제작 『아웃사이더』가 등장한 시대는 1950년대다. 반세기를 훌쩍 넘은, 그것도 20대 고졸 학력의 청년이 완성한 책이 지금까지 고전의 반열에 드는 이유는 무엇일까. 이유는 현학적인 문구도, 놀랄 만한 지식도, 빛나는 사유도 아니다. 답은 시대를 앞서 간 저자의 예지력에 있었다. 저자가 주장했던 '아웃사이더'가 대중가요처럼 반짝하다 사라지는 존재였다면 스테디셀러의 반열에 당당히 진입하는 일은 없었을 것이다.

저자는 아웃사이더의 존재를 다양한 문학의 등장인물

속에서 발견한다. 헤르만 헤세(Hermann Hesse), 알베르 카뮈, 어니스트 헤밍웨이(Ernest Hemingway), 장 폴 사르트르, 제임스 조이스(James Joyce), 토마스 만(Thomas Mann), 레프 톨스토이(Lev Tolstoy), 도스토옙스키가 그들이다. 다른 문화 장르에서도 아웃사이더는 버젓이 존재한다. 프리드리히 니체(Friedrich Wilhelm Nietzsche), T.S. 엘리엇(Thomas Stearns Eliot), 빈센트 반 고흐(Vincent van Gogh), 윌리엄 블레이크(William Blake), 붓다, 키르케고르(Kierkegaard) 등에서 저자는 아웃사이더의 흔적을 찾아낸다.

> "아웃사이더에겐 자기가 태어난 세계는 반드시 무가치한 세계며, 어디까지나 목적과 방향을 찾는 그의 의욕에 비하면 세속인이 사는 것은 인생이 아니라 표류로 보인다." (231)

저자는 아웃사이더가 취하는 기본적인 태도를 '부정하기'라고 말한다. 따라서 아웃사이더는 철저하게 비타협적인 인물, 시대 편향적이지 않은 인물, 인생 자체를 거부하는 인물로 요약 가능하다. 그들은 예술에 대해서 비판적 지지를 보내는 인물이다. 유명 예술 작품도 아웃사이더를 쉽사리 감동시키지 못한다. 아웃사이더에게 예술이란 사상이며, 사상이라는 것은 겉모습을 믿을 만큼 약한 인간들에게 질서를 부여해 줄 뿐이라고 저자는 주장한다.

> "아웃사이더는 자기가 무엇인지 확실히 알지 못한다. 하나의 자아를 발견했으나 이는 진정한 자아가 아니다. 그의 중요한 임무는 자기 자신으로 돌아가는 길을 발견하는 일이다." (238)

인간은 누구나 아웃사이더의 기질을 타고난다. 누구든지 남들이 흉내 내지 못하는 희한한 공상에 잠길 수 있으며, 공상을 어떤 형태로든 표출할 권리가 있다. 희한한 공상을 내면화하는 단계에서 아웃사이더는 탄생한다. 주변에 아웃사이더가 많을수록 누군가는 미래의 아웃사이더가 될 확률이 높다. 아웃사이더에게 평범한 인생이란 죽음과도 같다.

한국 영화 〈부러진 화살〉에서 안성기가 연기한 석궁 교수도 아웃사이더에 속한다. 그는 감옥이라는 폐쇄적인 공간 속에서도 절대 권력을 향한 인정 투쟁을 멈추지 않는다. 그는 철저히 외로운 존재다. 영화를 마칠 때까지 석궁 교수 자신이 어떤 인생관을 가진 존재인지에 대해 설명하는 장면은 나오지 않는다. 왜냐하면 안성기는 완성과는 거리가 먼 존재, 늘 진행형인 삶을 견지하는 아웃사이더이기 때문이다. 관객은 석궁 교수의 변화무쌍한 발언과 행동과 가치관에 열광한다.

이것이 아웃사이더와 방관자의 차이이다. 방관자는 자신으로 회귀하기를 원치 않는다. 그것은 곧 사회와 단체와 인습과의 거리 두기라는 사실을 방관자는 너무나도 잘 알고 있기 때문이다. 그들에게 언어란 단지 학습된 과정의 일부이며 타자를 분석하기 위한 수동적인 도구에 불과하다. 그들은 스스로 아웃사이더이기를 포기한 허상에 지나지 않는다.

> "비저너리(Visionary)는 보다 다른 이유에서, 즉 누구나 이해할 수 있는 출발점에서 시작하여 이내 일반이 이해할 수 없는 높은 곳으로 뛰어올라 버린다는 이유에서 아웃사이더다." (322)

콜린 윌슨은 종교의 영역이 아웃사이더가 접근할 수 없는 세상이라고 속단하지 않는다. 그는 환상을 보는 인간을 의미하는 비저너리란 반드시 아웃사이더라고 말한다. 이는 같은 공동체에 사는 다른 인간의 수에 비해 환상을 보는 인간이 소수라는 이유에서다. 결국 아웃사이더란 모든 인간은 자신에게 불성실하며, 감정의 색안경을 통해서만 세상을 들여다볼 수 없다는 점을 인식하는 인물이다. 아웃사이더에게 종교 역시 대단치 않은 존재임이 분명하다. 종교를 통한 위로도 아웃사이더의 눈에는 추종자를 안심시키기 위한 거짓말일 뿐이다.

『아웃사이더』가 세상에 나온 지 60년이 흘렀다. 무엇이 변했을까. 아웃사이더의 변종이 탄생한 것 외에는 특별히 달라진 부분은 없다. 왕따, 은둔형 인간이 변종의 주인공이다. 이들은 아웃사이더의 문턱에서 머뭇거리는 중간자적인 존재다. 자신만의 시각이 싹을 피우기도 전에 사회적 외톨이로 남은 존재다. 가해자는 바로 경쟁 사회, 물질 사회, 자본주의, 이기주의, 성과주의다. 이러한 장애물을 딛고 일어선 자만이 아웃사이더의 영역에 등극한다. 아웃사이더로 살아가기 위한 총성 없는 전쟁은 오늘도 계속된다. 아웃사이더의 세계에서는 영원한 승자도, 패자도 존재하지 않는다.

저자의 통찰력은 문화의 모든 영역에서 아웃사이더의 존재감을 부각시키고 있다. 독자는 콜린 윌슨의 글을 접하면서 끊임없이 자신이 아웃사이더인지에 대한 고민을 거듭한다. 비로소 '이런, 내가 아웃사이더였군'이라고 소리치는 독자가 있다면 아웃사이더일 확률이 낮을지도 모른다. 만일 진정한 아웃사이더라면 요란한 외침 대신에 스스로에게 의미심장한 미소를 보낼 것이기 때문이리라. 경쟁 일변도의 사회에서 벌어지는 승자의 미소가 아닌 세상과 타협하지 않는 자의 단단한 미소를 말이다.

37. 탐미주의자의 목소리

수전 손택의 말 (수전 손택, 조너선 콧)

지식인은 독서광이다. 이들은 독서라는 행위를 거듭하면서 새로운 가치를 수혈 받고, 불편한 세상과 조우하며, 신념을 물갈이한다. 책의 물성보다는 책의 신성을 인정하는 자가 바로 지식인이다.

탐미주의자 수전 손택(Susan Sontag) 역시 엄청난 독서광이다. 그녀는 중년 시절까지 하루 1권씩 책을 흡수한다. 한마디로 독서에 인생을 바친 인물이었다. 그렇다고 고급문화에 경도된 과시적인 지식인은 아니었다. 이는 록그룹 도어즈(Doors)와 소설가 도스토옙스키에 대한 비교가 무의미하다고 주장하는 그녀의 인터뷰에서 확인할 수 있는 대목이다. 피에르 부르디외 식으로 정리하자면, 대중음악과 러시아문학은 문화 자본에서 다른 위치에 놓인 존재라는 결론에 도달한다. 수전 손택은 대중문화와 고급문화 간의 일차원적인 편 가르기를 뛰어넘는 20세기의 가치 전복자다.

소개하는 책 『수전 손택의 말』은 1970년대 후반에 행해진 인터뷰집이다. 그는 1965년에 쓴 일기에서 이렇게 다짐한다. 명료하고, 권위적이고, 직접적인 말투를 갖출 수 있을 때까지 인터뷰는 일절 하지 않을 것이라고. 그로부터 13년이라는 세월이 지나갔다. 미국을 대표하는 대중음악지 『롤링 스톤(*Rolling Stone*)』의 창립자인 조너선 콧(Jonathan Cott)은 6월의 어느 날 프랑스 파리를 방문한다. 실천적 지식인으로 알려진 수전 손택을 인터뷰하기 위해서였다.

그는 말한다. 자신은 인터뷰라는 형식을 좋아한다고, 대화 자체를 좋아하기 때문에 인터뷰에 관심이 많다고, 사고의 상당 부분이 대화의 소산이라는 걸 알고 있다고, 반면 글쓰기란 본질적으로 자유롭지 못한 활동이라고, 은둔자가 되지 않는 최선의 방법이 대화라고 말이다.

내가 수전 손택의 글에 집중한 이유를 떠올려 보았다. 이는 양비론적 사고방식을 거부하는 자유주의자다운 태도 때문이었다. 스테레오타입에 대한 비판적 성향. 전형적인 유럽식 사고방식인 극단적 가치 충돌로부터 벗어나고자 했던 지식인, 구속 문인 석방을 위해 1989년 한국을 방문했던 인물, 뉴욕 지성계의 여왕, 대중문화의 퍼스트레이디, 새로운 감수성의 사제 등에 이르기까지 수전 손택은 다양한 문화 영역 곳곳에 자신의 손길을 뻗친다.

> "젊음이나 남성성과 연루된 가치들이 인간의 규준으로 간주되고, 그 외의 다른 것들은 무조건 가치가 떨어지거나 '열등'하다고 인식되지요. 늙은 사람들은 엄청난 열등감을 지니고 있습니다. 늙었다는 걸 '창피해하지요'." (37)

그는 젊음과 늙음, 여성과 남성의 이항 대립에 반기를 든다. 이러한 스테레오타입은 대중의 가치관을 옭아매는 문화적 족쇄라는 이유에서다. 또한 그는 전통적인 삶에 대한 추종을 거부한다. 전통에 대한 집착에는 가부장 문화가 암초처럼 숨어 있다는 해석이다.

초반기에는 보다 육체적이고 후반에는 명상적으로 흘러가는 인간의 생을 비판적 지식인의 시각으로 바라본다. 따라서 수전 손택의 논리는 플라톤(Platon)이나 데카르트(Descartes)가 주장했던 이원론과 배치된다. 그는 이러한 스테레오타입의 득세가 기술주의 사회를 향해, 산업의 합리화를 향해, 과학을 향해 나아가고 있다고 확신하던 시대에 생겨났다고 주장한다. 이는 낭만적 가치에 대한 방어기제로 등장한 문화적 선동의 일환인 셈이다.

수전 손택은 젊었을 때 할 수 있는 것과 늙어서 할 수 있는 것 역시 자의적이고 근거가 없는 관념이라고 말한다. 이는 여자가 할 수 있는 일과 남자가 할 수 있는 일을 구분하는 관념과 마찬가지 사례에 해당한다. 그는 스스로를 선택의 감옥에 가두어 버리는 오류를 범하지 말자고 주장한다. 늙음에 대해서 얼마나 한심해하고 창피해하고 초라해하고 변명해야 하는 감정을 느끼는지에 대한 논의가 본격적으로 필요하다고 주장한다.

> "독서는 제게 여흥이고 휴식이고 위로고 내 작은 자살이에요. 세상이 못 견디겠으면 책을 들고 쪼그려 눕죠. 그건 내가 모든 걸 잊고 떠날 수 있게 해주는 작은 우주선이에요." (66)

그의 직업은 문화 전반을 아우른다. 소설가, 에세이스트, 문화예술 평론가, 연극 연출가, 영화감독이란 직업이 수전 손택의 정체성을 설명해 준다. 역사순환론을 믿는 뉴욕 출신의 지식인 수전 손택은 자신의 독서 방식이 체계적이지 못하다고 토로한다. 엄청난 속독가이지만 문화 이론에 대해서는 무지하다고 스스로를 책망하기도 한다. 그의 자유로운 정신세계는 독서 행위에 있어서도 예외가 아니다. 학문 체계를 이루기 위한 독서가 아닌 독서 그 자체를 즐기는 것. 수전 손택의 쾌락 독서는 목적성을 초월한다. 그의 독서는 깃털처럼 자유롭고 송곳처럼 날카롭다.

> "다르게 글을 쓰고 싶어요. 지금 갖고 있는 자유와 다른 종류의 자유를 찾고 싶어요. 난 작가로서 분명히 소정의 자유를 누리고 있지만, 내게 결여된 다른 자유도 있거든요. 그런 자유를 찾는 유일한 길은 실천뿐이에요." (130)

수전 손택의 글쓰기는 자유를 보장하는 일련의 과정이다. 모든 에너지를 오로지 글쓰기에 투입하는 그에게 글쓰기란 절제의 대상이 아니다. 길고 강렬하고 강박적인 작업의 반복을 시도하는 수전 손택. 끼니를 거르고, 불면에 시달리고, 두통을 동반한 육신의 고통을 감수하고, 금욕의 압박에 시달리는 과정들. 그에게 글쓰기란 타협이 아닌 생의 한계에 도전하는 시간이다.

인터뷰 당시 수전 손택은 40대 중반이었다. 남은 생을 반추하기엔 살아갈 날들이 적지 않고, 그렇다고 노익장의 목소리를 내기엔 턱없이 부족한 나이였다. 그는 말한다. 이젠 자신의 육체에 덜 혹독한 방식으로 글 쓰는 법을 배우고 싶다고. 다행스럽게도 조금씩 방법을 배우는 과정이라고 말이다.

그의 글은 직선적이다. 저자 특유의 날선 목소리가 글귀에서 느껴진다. 조너선 콧은 수전 손택의 글에 대해서 이렇게 표현한다. 군더더기 없고, 정확하고, 요란하지 않고, 꾸밈이 없다고. 부언하자면, 헤밍웨이의 하드보일드 어법을 이어받은 자유주의자의 글쓰기에 관한 해석이다.

수전 손택의 문장은 사랑하고 존경하는 대상을 근거로 이루어진다. 하지만 그런 영향은 소진의 위험이 도사린다. 수많은 책과 작가로부터 동화하는 과정이 젊은 날의 글쓰기라면 이로부터 철저하게 탈피하는 과정이 그가 주장하는 중년의 글쓰기이다. 불교로 말하자면 '부처를 만나면,

부처를 죽여라'는 의미와 상통하는 부분이다. 변화를 위해 과거를 지우는 행위가 작가에게 필요하다는 이야기다.

화두는 다시 글쓰기이다. 자신을 변화시키는 글쓰기. 일단 한 가지 주제에 대해 다 쓰고 나면 더 이상 그 생각을 할 필요가 없도록 할 것. 일단 쓰고 나면 반드시 공간 이동을 할 것. 늘 멈추지 말고 새로운 세상을 향해 움직일 것. 어디로 가는지 행선지를 모르는 게 좋고, 또 그러면서도 한참 멀리 길을 떠나 있다는 느낌을 사랑할 것. 수전 손택의 글쓰기는 목적지가 없는 무전여행이다. 2004년 12월. 그녀의 아름다운 지식 여행은 우주로 행선지를 바꾼다. 70세를 갓 넘은 아까운 나이였다.

38. 바보들의 천국

도쿄대생은 바보가 되었는가 (다치바나 다카시)

질문 하나. 생각하는 시간은 5초를 준다. 그럼 질문을 시작해 본다. '서울대 비인기 학과와 연고대 인기 학과의 차이는?' 이 질문에 관한 답변은 실로 다양할 것이다. 당연히 정답은 존재하지 않는다.

만약 질문 내용을 오로지 사회적 가치로만 판단하는 자라면, 대한민국은 '서울대의 나라'임을 인정하는 답변임이 틀림없다. 그는 아마도 이런 변명을 내놓을 것이다. 아무리 비인기 학과라도 간판이 서울대인데 연고대 인기 학과보다 우위에 있지 않느냐고. 다닐 때는 다소 자존심이 상하겠지만 사회에 나가서는 역전의 기회가 있다고. 여기서 다름은 사회적 대우의 차이라고. 답변에 동의하는가. 그래서 대학 문화가 이 모양 이 꼴인 것이다. 학력 자본의 횡포로 인해 서울대를 바라보는 시각이 부정 일변도로 치닫고 있다.

시작하는 글이 영 찜찜하다. 서울대에도 역사가 존재한다. 돈과 배경이 없이도 중·고등학교에서 공부만 열심히 하면 진학할 수 있는 대학이 서울대였다. 적어도 20세기 후반까지는 그랬다. 이젠 서울대 신입생의 태반을 소위 잘사는 집 학생이 독차지한다. 돈이 있어야 과외도 하고, 진학률이 높다는 중·고등학교에도 들어간다. 이제는 고등학교를 들어가는 순간에 대학의 선택 범위가 정해진다. 공부 못하는 고등학교에서 공부 못하는 대학에 들어간다. 말 그대로 공부와 진학의 악순환이다.

누구의 탓일까. 여러 이유가 있겠지만, 멀리 일본의 입시제도를 핑곗거리로 삼아 보자. 왜냐하면 우리나라의 20세기 입시제도의 출발점은 다름 아닌 일본이었으니까 말이다. 한국만의 구조적인 문제가 아니라고 합리화하지 말자. 다치바나 다카시가 쓴 『도쿄대생은 바보가 되었는가』는 대학 이름만 바꾸면 우리나라의 현실에 딱 들어맞는 책이니까.

일본의 지성이라 불리는 다치바나 다카시가 누구인가. 그는 일본 진보쵸 인근에 지하 1층, 지상 3층짜리 일명 '고양이 빌딩'의 주인장이다. 그곳에는 저자가 모은 엄청난 책들이 촘촘히 공간을 메우고 있다. 수집한 책처럼 글 쓰는 주제는 다양하기 이를 데 없다. 일본 공산당, 정치인의 범법 행위, 인간의 뇌, 우주과학 등 장르를 넘나드는 실험적 글쓰기를 멈추지 않는 다치바나 다카시. 그가 또 한

권의 사회 비평서를 내놓았다. 이름하여 『도쿄대생은 바보가 되었는가』이다. 혹시나 저자가 비명문대 출신이라서 이런 글을 썼는지 의심할 필요는 없다. 다치바나 다카시는 도쿄대 불문과 졸업생이다.

> "일본의 교육은 초·중등교육에서부터 암기 중심으로 일관되어 있다는 것입니다. (중략) 폭넓은 사고력을 갖춘 학생이 아니면 통과할 수 없는 내용을 채택해야 한다는 뜻이지요. 또 한가지는 암기를 하지 않아도 되는 시험 문제를 출제하라는 것입니다." (15-6)

저자는 도쿄대생의 집단 무의식화 현상의 근원에 한자 문화로 인한 일본의 고질적인 암기식 학습법이 숨어 있다고 지적한다. 오늘날 지식 분야에서는 더 이상 암기 능력이 중요하지 않다고 다치바나 다카시는 말한다. 오히려 이미 어딘가에 존재하는 정보를 정확하게 참고하여 응용하는 능력이 더 중요해졌다는 뜻이다.

그렇다고 책 제목에서 말하는 '바보'의 의미가 단순히 지적 능력의 열세만은 아니다. 프랑스 지식인 콩도르세(Condorcet)는 이렇게 말한다. 교육의 목적은 현 제도의 추종자를 만드는 것이 아니라, 제도를 비판하고 개선할 수 있는 능력을 배양하는 것이라고. 맞다. 저자는 도쿄대에서 볼 수 있는 결함 중 하나로 학생에게 본격적인 교양을 가르치지 않는 부분이라고 목소리를 높인다.

그가 바라본 일본의 대학 제도는 심히 비관적이다. 대학이 고등교육기관으로서 독점적인 지위를 차지하던 시대는 끝났다는 말이다. 대학에 가지 않으면 고등교육을 받을 수 없는 시대는 막을 내렸다. 대학 졸업장이, 어떤 대학의 어떤 학부에서 발행한 것이든, 현대사회의 진정한 교육인이라는 점을 증명할 수 없는 시대라고 다치바나 다카시는 지적한다.

> "올바른 선택을 하려면 현재 학문의 최전선이 어느 지점에 이르러 있는지 자기 자신이 정말로 무엇을 하고 싶은지, 자기는 어떤 능력과 어떤 개성을 가지고 있는지 성숙된 자기 인식이 필요하다." (40)

저자에 따르면, 올바른 사회적 선택을 할 만한 시점이란 적어도 고등학교를 졸업한 이후에 해당한다. 이를 위해 교양과목의 학습이 시급하다고 말한다. 역사적으로 국가 주도형 인재 양성 기관의 임무를 일본의 대학이 담당했다. 다치바나 다카시는 국가에서 필요로 하는 행정 관료 양산의 가장 커다란 피해자가 일본의 대학생이라고 말한다. 결국 도쿄대학의 각 전문 학부는 관료뿐 아니라 산업계나 의학계, 교육계에도 인재를 공급하는 역할을 해낸다. 이런 상황에서 교양 학문이 대학 교육의 본령이라는 사고방식이 생길 수 없었음은 당연하다.

한편, 다치바나 다카시는 제너럴리스트의 도래를 염원한다. 이는 모든 분야에 두루 적용할 수 있는 대중적인 지식 노동자가 아니다. 이는 낮은 수준의 제너럴리스트를 의미한다. 그가 정의하는 제너럴리스트는 스페셜리스트보다 한 차원 높은, 다방면의 전문가에 필적하는 방대한 지식을 가진 인물을 상징한다. 여기서 말하는 제너럴리스트란 저자 자신을 의미하기도 한다.

> "대학은 교수가 무엇인가를 가르치고 학생은 그것을 외우는 곳이 아니다. 대학생이 반드시 몸에 갖추어야 하는 것은 스스로 공부할 수 있는 능력이다. 교수가 가르친다는 형식으로 학생들에게 전할 수 있는 지식의 양은 한정되어 있다." (124)

'어떤 내용이든 상관없으니까 내가 강의한 내용과는 관계없는 내용을 중심으로 자유로운 논술을 작성해 볼 것.' 1990년대 후반, 도쿄대학 교양학부에 출강했던 저자의 말이다. 지극히 공감이 가는 교육 방식이다.

다치바나 다카시는 자신의 강연에 오히려 충격을 받았다는 내용을 적은 학생에게 경악한다. 그들은 대부분 선생이 가르치는 내용만을 충실하게 머릿속에 입력했다가 시험을 볼 때 그것을 출력하는 과정을 되풀이하면서 입시 지옥을 빠져 나온 인물이었다. 대한민국 교육의 고질병이라는 주입식 교육의 현장이 일본에서도 벌어진다는 사실을 보여 주는 대목이다. 아니, 일본의 주입식 교육이 대한민국으로 흘러 들어왔음을 보여 주는 섬뜩한 대목이다.

강의를 통해 확인한 일본 일류 학부생의 뇌 구조는 응용력이라고는 찾아볼 수 없는 주입식 교육에 철저하게 물들어 있었다. 기본적으로 자신의 생각을 주체적으로 설명하는 훈련을 받지 못했기에 다치바다 다카시의 요구에 공황상태에 빠진 것이었다. 그는 이러한 일본 대학의 현실을 꼬집는 저술을 시도한다. 그것이 자신이 졸업한 세칭 일류대생에 관한 비판의 글이었다.

다치바나 다카시의 글의 문제점은 자신의 방대한 지식을 나열하는 데 그치는 부분이다. 사회과학과 자연과학을 넘나드는 자신감이 넘치다 보니 이를 통한 통섭의 이론을 펼치기보다 과시적인 글쓰기로 치닫는 한계가 드러난다. 다방면에 걸친 백화점식 저술은 저자의 자유이자 권리라고 치자. 그렇다고 해서 그의 저술 하나하나가 새로운 이론을 보여 주거나 정립하지는 못하고 있다. 아는 만큼 보인다지만, 저술하는 행위는 그와는 다르다. 다독의 우물에 빠진 통섭형 지식인의 분발을 요한다.

39. 침몰하는 대한민국

비굴의 시대 (박노자)

세상을 살아가는 데 재고해 봐야 할 자세를 살펴보자. 여기서 '살아간다'는 의미는 틈만 나면 과시 소비에 집착하며, 재력을 과시하기 바쁘며, 모든 가치를 돈에 비유하는 천박스러운 태도를 의미한다. 보다시피 지극히 친자본주의적인 생활 습관이다.

이런 물질주의자에게 박노자란 인물은 대인지뢰에 가깝다. 밟지 않으면 다행이고, 밟으면 삶이 혼란스러워지는 존재라는 말이다. 박노자의 본명은 블라디미르 티호노프이다. 그는 러시아 태생이고, 모스크바 대학교에서 고대 가야사를 전공으로 박사 학위를 받고, 현재 노르웨이 오슬로 대학교에서 한국사를 강의한다. 본래 이름이 궁금할 것이다. 자신의 스승인 미하일 박의 성을 따서, 러시아의 아들이라는 의미에서 이름이 만들어진다.

그의 실제 음성은 고고해 보이는 인상과 달리 가늘고 날카롭다. 박노자의 강의를 30여 분 넘게 듣다 보면 정신이 혼미해진다. 그렇다고 그의 지식 세계가 별 볼일 없다는 말은 결코 아니다. 스스로 전투적 지식인임을 주장하면서도 행동하지 못하는 자신의 한계를 반성하는, 썩 괜찮은 존재라는 말이다.

그런 박노자가 또 한 권의 책을 선보인다. 제목하여 『비굴의 시대』. 소제목은 '침몰하는 대한민국, 우리는 무엇을 할 것인가?'이다. 단일민족의 순수성에 집착하는 집단주의 문화가 가진 아이러니 사례를 살펴보자. 하얀 피부를 가진 외국인에게는 거리낌 없이 한국의 문화 실태에 대한 우문을 던진다는 것이다. 서양 문화를 신봉하는 한국인에게 하얀 피부를 가진 존재는 선진국이자, 강대국이자, 문화적 상위 계급에 속한다. 하지만 피부색이 짙어지는 순간, 그러한 태도는 돌변한다.

일인당 국민소득이 대한민국의 삼분의 일도 안 되는 구릿빛 피부의 지식인에게 한국의 문제점에 대해서 질문하는 경우는 많지 않다. 이유가 무엇일까. 백인이라면 태생적으로 우위라고 생각하는 인종주의적 편견이 이유다. 그런 의미에서 박노자는 중간자적인 존재다. 가까이 하기엔 조금 먼 나라인 러시아 태생에, 복지 수준이 최고에 속하는 노르웨이의 대학교수에, 한국어를 한국인보다 잘 하면서 한국 역사에 대한 통찰마저 전문가 수준을 넘나드는, 한국인보다 몇 배는 박식한 인물이기 때문이다.

"사회적 체면 상실은 무섭다. 취직 실패의 공포도 그렇다. 취직이 되지 않으면 굶어 죽을 수도 있는 대한민국에서는 경제적 궁핍도 두렵지만, 무엇보다 신경 쓰이는 것은 동기, 선후배, 가족 앞에서의 면목이다." (47)

박노자가 날린 비수에 얼굴이 화끈거린다. 그는 자신보다 주변을 살펴야만 하는 체면 문화에 대한 비판의 글을 올린다. 당면한 현실보다 주변의 체면을 중요시하는 겉치레 문화에 대한 따끔한 지적이다.

인간은 존재하는 이상 끊임없이 무엇인가를 두려워한다. 박노자는 이미 유치원 시절부터 치러야 하는 입시를 비롯하여 궁극적으로는 자본의 힘으로 편입되는 취직을 염두에 두어야 하는 현대인의 삶이란 거의 매 순간 시장에 의해 결정된다고 말한다. 보육원 시절부터 노후에 이르기까지 우리 삶의 목적은 취직과 지속적 실직 회피, 그리고 부동산이나 자동차 구매에 불과하다고 꼬집는다.

대한민국의 평범한 젊은이라고 해서 예외가 아니다. 그들은 준거집단의 기준에 미달할 것 같아, 즉 자신이 낙오할 것 같아, 늘 공포심에 시달린다. 공포심은 이기심으로 가득 찬 인간을 재생산한다. 결국 사회운동에 대한 무관심, 약자에 대한 배려의 실종 등 젊은 세대의 방황과 갈등은 여기에서부터 파생된다. 공포에 빠진 사람은 판단력을 상실할 가능성이 크다. 젊은 시절에 경험한 공포는 악몽처럼 평생을 따라다닌다. 박노자는 사회적으로 만들어진 공포를 주식으로 먹고 사는 대한민국을 무간지옥이라 표현한다.

> "타자를 만날 때면 먼저 그 타자성, 즉 다름에 착안하는 법이다. 그런 면에서 미국이 여타의 나라와 다른 것은 바로 좌파가 없다는 점이다. 물론 좌파가 있다고 해서 그 좌파가 꼭 우리가 바라는 만큼의 힘을 갖는 것도 아니고, 우리가 바라는 방향으로 힘을 쓰는 것도 아니다." (157)

다음으로 박노자의 칼날은 미국을 향한다. 좌파가 존재하지 않는 나라 미국. 좌파가 있는 사회와 없는 사회는 엄연히 다르다. 미국이 어떤 나라인가. 월급을 아예 받지 않고 팁에 의존하는 식당 웨이터의 태도에서, 길거리마다 보이는 배고픈 노숙자에 대한 일반인의 무관심에서, 좌파가 존재하지 않는 미국을 느낀다고 저자는 말한다. 그뿐인가. 노조가 없는 미국 대학의 교수 세계에서도 그는 똑같은 모습을 체감한다. 미국의 교수는 자신의 연구 영역 이외에 대해서는 아무것도 모르는 극도로 개인 중심적인 자세를 취한다고 박노자는 말한다.

그는 미국이 1930~50년대를 거치며 세계 유일의 패권국가로 부상하면서부터 본격적으로 보수화의 길을 걸었다고 설명한다. 궁극적으로 미국인은 1990년대의 포스트모더니즘의 파고에 휩쓸려 계급투쟁의 지향성 자체를 완전히 상실한다. 박노자가 바라보는 노엄 촘스키는 어떤 모습일까. 미국을 대표하는 좌파 지식인으로 불리는 노엄 촘스키는 박노자에게 자유주의적, 아나키스트적 비판자에 불과하다. 노엄 촘스키는 급진 사회주의를 전체주의라고 비난할 만큼 균형성이 떨어지는 존재라는 박노자의 발언이 신선하다. 그에게 미국이란 비민주적인 자본 독재의 나라로 구체화된다.

> "한진중공업 김진숙이 크레인에 올라 고공 농성을 벌이는 것을 보면서 생각이나 정서를 십분 공유해도 행동은 하지 못하는 나 같은 사람은 과연 의미 있는 인생을 사는 것인가 하는 회의가 들었다." (227)

박노자의 비판적 시선은 자신에 대해서도 예외를 두지 않는다. 그게 바로 박노자의 장점이자 솔직함이다. 노동자는 근육으로 싸우고, 작가는 글로 싸운다는 형식논리도 지식인 박노자에게는 설익은 핑계에 불과하다.

그에게 지식이란 해방이나 학살의 도구다. 지배 체제가 요구하는 지식, 즉 국내 유명 대학이나 외국 대학에서 생산하는 학위에 집착하는 대한민국은 어떤 사회일까. 저자는 지식으로 가득 차 있다 못해 이제는 지식이 넘쳐 나는 사회임에도 폭력성의 수준은 제자리걸음이라고 말한다.

결국 사회적 차원에서도 그렇지만 개인적 차원에서도 지식 그 자체만으로 인간을 인간답게 만들어 주지 않는다는 논지다.

박노자가 바라본 지식이란 행동하는, 실천하는, 연대하는 지식이다. 행동으로 이어지지 못하고 체제에 편입된 지식은 그저 악의 도구일 뿐이라고 주장한다. 그는 지식을 전문적으로 다루면서 행동하지 못하면 지배자 무리에 포섭되어 이 지옥을 관리하는 악마의 유순한 도구가 될 뿐이라고 말한다. 박노자는 노동운동가 김진숙의 실천적 행동을 보며 인간 해방을 위한 지식이란 무엇인지 배워야 한다고 역설한다.

러시아, 노르웨이, 대한민국. 좀처럼 조화를 이룰 수 없는 세 나라. 박노자는 공산주의, 사회주의, 민주주의라는 이데올로기가 뒤섞인 공간에서 성장하고 이를 기반으로 자신의 학문적인 정체성을 되짚어 간다. 공간의 변화는 역사와 현실에 대한 광범위한 시각을 만들어 준다. 당연히 박노자의 세계관은 깊고 방대하다. 그의 아내는 한국인이다. 그의 고향은 러시아다. 그의 직장은 노르웨이이다. 그가 바라보는 세상은 지구 전체이다. 박노자는 이러한 태생지로 인간을 규정하는 논리 자체를 비판한다. 맞는 말이다. 그는 대학교수와 노동당이라는 공간을 넘나든다. 대한민국을 포함한 세계에 대한 관심과 비판을 멈추지 않는 박노자의 도움닫기에 응원을 보낸다.

40. 비판적 지식인의 대화법

인간의 본성을 말하다 (노엄 촘스키, 미셸 푸코)

노엄 촘스키와 미셸 푸코. 그들이 함께 만났다. 1980년대에 세상을 떠난 미셸 푸코가 무덤에서 탈출했냐고 궁금해할지도 모를 일이다. 책『인간의 본성을 말하다』는 베트남전의 잔상이 세계를 지배하던 1971년도에 행해진 두 석학의 대담집이다. 책 후반부에는 1976년에 이들이 주장하는 논리를 보강한 내용이 담겨 있다. 대담 장소는 네덜란드의 암스테르담이다. 당시 유럽 문화를 호령하던 프랑스와 세계대전의 승전국인 미국 지식인 간의 만남은 다소 이례적이었다.

사실 노엄 촘스키와 미셸 푸코의 서적을 독파하는 일은 만만치 않다. 그럼에도 그들이 말하는 권력 이론은 현재까지도 수많은 학자, 지식인, 독자의 광범위한 주목을 받고 있다. 딱딱한 이론서가 아닌 방송 출연용 대화 형식으로 책을 구성하다 보니 상대적으로 이해하기 쉬운 표현으로 채워졌다. 따라서 노엄 촘스키와 미셸 푸코에 대한 사전 지식이 전무한 독자들에게도 편하게 읽힐 만한 책이라 말하고 싶다.

개인적인 취향도 부분적으로 작용했음을 밝힌다. 노엄 촘스키와 미셸 푸코의 명저 하나씩을 선정해도 문제가 없었겠지만 지면 관계상 『인간의 본성을 말하다』라는 책으로 정리하기로 했다. 당연한 이야기지만 노엄 촘스키나 미셸 푸코가 없어도 세상은 돌아간다. 하지만 이들이 존재하는 세상과 그렇지 않은 세상은 분명히 다르다. '인문학이 인간의 삶을 구원하느냐, 한 장의 수표가 배고픈 자의 평균수명을 늘려 주느냐'는 얼핏 비슷하면서도 다른 의미를 내포한다.

오로지 돈을 위해 살아간다는 생각은 비판적 지성을 내버리겠다는 자포자기적 선언과 다름없다. 그들에게는 독서도, 사유도, 비판도, 다르게 보기도 아무런 의미가 없는 비생산적인 일상에 불과하다. 타인의 삶을 이해하는 방식은 생각보다 단순하다. 현재를 기준으로 어떻게 24시간을 보내는지 주목해 본다면 의외로 쉽게 답이 나온다. 요는 시간이다. 그들이 소비하는 현재의 시간이 인간을 규정한다. 300페이지를 넘지 않는 책에서 노엄 촘스키와 미셸 푸코의 과거와 현재를 들여다본다. 그곳에는 우리가 알지 못하는 세계와의 충돌과 날선 비판이 대인지뢰처럼 숨겨져 있다.

> "베트남 전쟁 기간에 미 정부가 광범위하게 거짓말을 했음에도 언론이 상당한 일관성을 가지고 정부의 전제 조건, 사고방식, 벌어지는 현상에 대한 해석을 기꺼이 받아들이고 이례적일 정도로 순종했다는 사실은 주목할 만합니다." (105)

노엄 촘스키는 미국의 대중매체는 거의 100퍼센트 '국가자본주의자'로 이루어져 있다고 말한다. 이는 스스로 사회주의자임을 밝히는 언론인이나 정치 평론가를 찾아볼 수 없다는 사실에서 확인 가능하다.

그는 사상의 자유가 전무한 미국 사회의 지식인을 해부한다. 즉, 미국 지식인 계급에는 범상치 않은 이데올로기적 동질성이 있다는 것이다. 이들은 약속이나 한 듯이 진보든 보수든 할 것 없이 무늬만 다른 국가자본주의를 고수한다. 다음으로 대중매체가 친자본주의적 기관이라는 사실이다. 이런 상업 매체가 경제 기득권층의 이데올로기를 반영한다는 건 놀라운 사실이 아니라고 노엄 촘스키는 지적한다.

그가 바라본 미국은 다른 자본주의 민주국가와는 달리 정치적인 사고방식과 분석이 상당히 경직되어 있는 교조주의적인 국가에 해당한다. 이는 지식인뿐 아니라 경영자, 정치계에서도 만연한 현상이다. 미국의 국가자본주의 이데올로기는 사회과학과 모든 학문을 전부 지배하다시피 했다. 미국적 순응주의는 이데올로기의 종말로 미화되었고, 전문 학자의 영역을 지배했으며, 대중매체와 평론지를 장악했다고 노엄 촘스키는 개탄한다.

그로부터 40년이 흐른 미국 사회의 초상은 어떠한가. 미국은 여전히 세계 최강의 전투력을 자랑하는 국가이며, 여전히 침략 전쟁을 일삼고 있으며, 변함없이 국가자본주의 이데올로기를 맹신한다. 노엄 촘스키의 거듭되는 비판에도 불구하고 미국은 국익 우선주의라는 눈가림 속에 문맹률이 떨어지는 대중의 눈과 귀를 닫아 버리는 미디어 업계를 십분 활용한다. 로마 시대에 버금가는 패권 국가의 재림이자 기만적인 시장주의자의 놀이터인 셈이다.

> "진리는 권력과 무관하다거나 권력을 소유하지 않는다는 인식을 혁파하는 것입니다. (중략) 진리는 이 세상에서 나오는 것입니다. 그것은 복합적인 형태의 제약에 따라 만들어집니다. 그리고 그것은 권력의 주기적인 효과를 유도합니다."
> (213)

미셸 푸코의 주장은 노엄 촘스키에 비해 관념적인 색채가 강하다. 오랫동안 권력의 정체를 연구해 온 인문학자에게 권력과 국가 간의 상관관계란 무엇인지 궁금해진다. 그는 국가가 엄청난 힘을 가지고 있음에도 권력관계의 모든 분야를 점유하지 않는다고 언급한다. 또한 국가는 이미 존재하는 다른 권력관계를 바탕으로 할 때에만 운영할 수 있다고 말한다. 이렇게 국가는 전반적 권력관계들을 집대성해서 기능을 발휘하도록 하는데, 이러한 권력관계를 파괴적으로 재집대성할 수 있는 가짓수만큼 혁명의 숫자가 존재한다.

한편, 미셸 푸코가 정의하는 지식인이란 어떤 모습일까. 그는 지식인이 '보편적인,' '모범적인,' '모든 사람에게 정의롭고 진실한' 차원에서 활동하지 않는다고 정리한다. 지식인은 오히려 어떤 특수한 분야, 병원, 강제수용소, 연구실, 대학 등의 특수한 접촉점에서 활동하는 데 익숙해져 있다는 의미다. 이는 지식인으로 하여금 그들의 투쟁을 더욱 직접적이고 구체적으로 인식하게 만들었으며 프롤레타리아나 대중이 직면한 문제와는 다른 비보편적인 문제에 매달리는 현상을 가져온 것이라는 말이다. 그럼에도 지식인은 실제적이고, 구체적이고, 날마다 벌어지는 투쟁으로 인해 현실 참여적인 태도를 완전히 내려놓을 수 없다고 첨언한다. 그렇기에 현대의 지식인은 다국적기업, 사법기구, 부동산 투기꾼 등 프롤레타리아와 똑같은 적수와 대치하지 않을 수 없다는 결론에 다다른다.

필자 스스로가 미국이라는 정치 문화적인 사정권에서 자유롭지 않기 때문일까. 글을 읽는 내내 노엄 촘스키보다 미셸 푸코의 권력에 관한 연구에 관심이 있음에도 불구하고 노엄 촘스키의 세계관으로 눈길이 갔다. 수십 년이 지났음에도 미국의 무력 행위를 꾸짖는 노엄 촘스키의 지적이 시대착오적이지 않다는 확신이 이유라면 이유겠다. 이는 정치가 인간의 일상생활에서 가장 중요한 위치를 차지한다는 푸코의 주장에 반하는 부분이기도 하다. 그렇다고 노엄 촘스키가 비정치적인 지식인에 속한다고 볼 수는 없다.

결국 이들의 세계관이란 미국과 프랑스라는 지식, 환경, 생태적 한계와 더불어 정의해야 하는 부분이 아닐까 싶다. 노엄 촘스키도 미셸 푸코도 부분적으로는 옳았다. 그들은 권력의 실체와 집권 세력의 우향우 현상에 대한 우려뿐 아니라 이를 정치적 합리성의 근본을 꿰뚫어 보는 시선의 필요성에 대해서 목소리를 높인다. 세월이 흘러도 변하지 않는 본성. 그들이 바라본 인간의 본성이란 거대 권력 앞에서 쉽사리 등을 내주는 수동적인 세계관의 일부분이었다.

지금까지 서울 상수동 서재에서 고른 40권의 책으로 서평 글을 꾸려 보았다. 세월이 흘러도 다시 읽고 싶은 책을 택했다. 나는 40권의 책 속에서 작은 희망을 발견했다. 인간에게 주어진 마지막 희망은 무엇일까. 더 나은 세상을 위한 변화가 희망의 실체라고 생각한다. 비록 건조한 세상이지만 우리에게는 안개 속을 헤쳐 나갈 지혜를 선사할 책이 존재한다. 봉인된 시간을 열어 줄 마법의 열쇠는 바로 독서라는 행위가 아닐까 싶다. 가능하면 소개하는 40권의 책을 모두 완독하는 기쁨을 누렸으면 하는 마음이다.

서평 도서 목록

01. 김언수, 『설계자들』, 문학동네, 2010. (이 책은 2019년에 개정판이 출간되었다.)

02. 공지영 외, 『1등만 기억하는 더러운 세상』, 한겨레출판, 2010.

03. 강상중, 이경덕 옮김, 『고민하는 힘』, 사계절, 2009.

04. 허지웅, 『버티는 삶에 관하여』, 문학동네, 2014.

05. 김영하, 『말하다』, 문학동네, 2015.

06. 최인훈, 『화두』(1, 2권), 문이재, 2002. (이 책은 1994년에 민음사에서 처음 출간되었고, 2002년에 문이재에서 재출간되었다. 현재는 문학과지성사에서 나온 최인훈 전집에 포함되어 있다.)

07. 장정일, 『장정일의 공부』, 랜덤하우스코리아, 2006. (이 책은 2015년에 개정판이 나왔다.)

08. 강신주, 『강신주의 다상담 1, 2, 3』, 동녘, 2013.

09. 강준만, 『멘토의 시대』, 인물과사상사, 2012.

10. 박민규, 『더블』(전2권), 창비, 2010.

11. 김우창, 『깊은 마음의 생태학』, 김영사, 2014.

12. 리영희, 임헌영, 『대화』, 한길사, 2005.

13. 조정환, 『예술인간의 탄생』, 갈무리, 2015.

14. 정영문, 『바셀린 붓다』, 자음과모음, 2010.

15. 지승호, 『지승호, 더 인터뷰』, 비아북, 2015.

16. 최규석, 『습지생태보고서』(2판), 거북이북스, 2012.
17. 김규항, 『B급 좌파: 세 번째 이야기』, 리더스하우스, 2010.
18. 진중권, 『진중권이 만난 예술가의 비밀』, 창비, 2015.
19. 이외수, 하창수 엮음, 『마음에서 마음으로』, 김영사, 2013.
20. 이현우, 『로쟈의 인문학 서재』, 산책자, 2009.
21. 에드워드 사이드, 정정호, 김성곤 옮김, 『문화와 제국주의』, 창, 2011. (또 다른 번역본으로 2005년에 박홍규의 번역으로 문예출판사에서 나온 판본이 있다.)
22. 에두아르도 갈레아노, 박병규 옮김, 『불의 기억』(전 3권), 따님, 2005.
23. 에른스트 H. 곰브리치, 백승길, 이종숭 옮김, 『서양미술사』, 예경, 2003. (이 책은 2013년에 문고판이, 그리고 2017년에 양장본이 나왔다.)
24. 피에르 부르디외, 최종철 옮김, 『구별짓기』(상, 하권), 새물결, 2005.
25. 마루야마 겐지, 김난주 옮김, 『인생 따위 엿이나 먹어라』, 바다출판사, 2013.
26. 에릭 홉스봄 외, 르몽드 디플로마티크 편집부 엮음, 『르몽드 인문학』, 휴먼큐브, 2014.
27. 가브리엘 가르시아 마르케스, 송병선 옮김, 『내 슬픈 창녀들의 추억』, 민음사, 2005
28. 장 보드리야르, 이상률 옮김, 『소비의 사회』, 문예출판사, 1992.
29. 스티븐 킹, 김진준 옮김, 『유혹하는 글쓰기』, 김영사, 2002. (2017년에 개정판이 새로 출간되었다.)
30. 미셸 우엘벡, 장소미 옮김, 『지도와 영토』, 문학동네, 2011.
31. 안토니오 네그리, 심세광 옮김, 『예술과 다중』, 갈무리, 2010.

32. 닐 포스트먼, 홍윤선 옮김, 『죽도록 즐기기』, 굿인포메이션, 2009.
33. 에릭 호퍼, 정지호 옮김, 『인간의 조건』, 이다미디어, 2014.
34. 슬라보예 지젝, 주성우 옮김, 『멈춰라, 생각하라』, 와이즈베리, 2012.
35. 가라타니 고진, 인디고 연구소 기획, 『가능성의 중심』, 궁리, 2015.
36. 콜린 윌슨, 이성규 옮김, 『아웃사이더』, 범우사, 1997.
37. 수전 손택, 조너선 콧, 김선형 옮김, 『수전 손택의 말』, 마음산책, 2015.
38. 다치바나 다카시, 이정환 옮김, 『도쿄대생은 바보가 되었는가』, 청어람미디어, 2002.
39. 박노자, 『비굴의 시대』, 한겨레출판, 2014.
40. 노엄 촘스키, 미셸 푸코, 이종민 옮김, 『촘스키와 푸코, 인간의 본성을 말하다』, 시대의 창, 2010. (2015년에 개정판이 나왔다.)